L'INVENTAIRE

DU MÊME AUTEUR

Un été sans histoire, roman, Mercure de France, 1973 ; Folio, 958.

Je m'amuse et je t'aime, roman, Gallimard, 1976.

Grands Cris dans la nuit du couple, roman, Gallimard, 1976, Folio, 1359.

La Jalousie, essai, Fayard, 1977. Idées Gallimard, 0505.

Une femme en exil, récit, Grasset, 1979.

Un homme infidèle, roman, Grasset, 1980 ; Le Livre de Poche, 5773.

Divine Passion, poésie, Grasset, 1981.

Envoyez la petite musique..., essai, Grasset, 1984 ; Le Livre de Poche, Biblio/essais, 4079.

Un flingue sous les roses, théâtre, Gallimard, 1985.

La Maison de jade, roman, Grasset, 1986 ; Le Livre de Poche, 6441.

Adieu l'amour, roman, Fayard, 1987 ; Le Livre de Poche, 6523.

Une saison de feuilles, roman, Fayard, 1988 ; Le Livre de Poche, 6663.

Douleur d'août, récit, Grasset, 1988 ; Le Livre de Poche, 6792.

Quelques pas sur la terre, roman, Gallimard, 1989.

La Chair de la Robe, essai, Fayard, 1989 ; Le Livre de Poche, 6901.

Si aimée, si seule, roman, Fayard, 1990 ; Le Livre de Poche, 6999.

Le Retour du bonheur, essai, Fayard, 1990 ; Le Livre de Poche, 4353.

L'Ami chien, récit, Acropole, 1990.

On attend les enfants, roman, Fayard, 1991.

Mère et Filles, roman, Fayard, 1992.

La Femme abandonnée, roman, Fayard, 1992.

Suzanne et la province, roman, Fayard, 1993.

Oser écrire, Fayard, 1993.

Madeleine Chapsal

L'INVENTAIRE

roman

Fayard

1

« Une salle des ventes ! ironise Mélanie en guise de réponse à ceux qui s'informent de son état et de celui de la vieille maison. Ou alors une brocante, un bric-à-brac. »

Au bout du fil, ses interlocuteurs se font silencieux et, l'appareil raccroché, Mélanie en convient : personne ne peut imaginer ce qui est arrivé à la maison. Ces étiquettes, ces pastilles de couleur, ces attestations d'achat qu'elle a scotchées sur les murs. Pour que cela fasse encore plus moche, plus abandonné.

Abandonnée, c'est elle qui l'est, en fait, mais elle ne se le dit pas. Les mots empirent les situations.

Quand le notaire lui a annoncé : « Votre sœur réclame un inventaire », Mélanie a commencé par s'étonner :

— Mais l'inventaire existe, Yolande l'a depuis longtemps, son notaire aussi...

— Il date d'avant la mort de votre père. Votre sœur veut faire réévaluer.

— Elle en a le droit ?

— Juste après le décès et avant le partage définitif. C'est la loi.

Depuis l'enterrement, Mélanie se déplace sur la pointe des pieds dans cette demeure qui a été celle de son père depuis plus d'un demi-siècle. Avant cela, celle de son père à lui, et du père de son père, le premier propriétaire, qui l'avait achetée neuve et aménagée en maison de famille.

Avant le siècle, les familles ne se dissociaient pas. Les vieux parents restaient avec leurs enfants ; parfois, les jeunes couples aussi. On se contentait de peu d'espace, d'une chambre d'eau commune. Les « toilettes », composées d'une table en bois couverte d'un marbre bon marché, avec une cuvette, un seau, un broc émaillés, étaient encore en place. Son père n'y avait pas touché. Était-il conservateur ou sentimental ? En fait, la maison n'a subi aucune transformation depuis qu'Édouard en a hérité, juste avant la dernière guerre.

Une sorte de temple, de mausolée familial, bourré comme un canon de souvenirs, de vieux meubles qui ont pris de la valeur, non qu'ils soient de style, mais faits pour durer, comme tout ce qu'on se procurait en ce temps-là. Une partie de ce fourniment relève de ce que Mélanie, les bons jours, appelle « le musée » : moulins à café en bois, arrosoir en zinc, postes à galène, réveils à remontoir.

Au début, chaque fois qu'elle ouvrait un placard, elle éclatait de rire à la vue de ces curiosités aujourd'hui hors commerce. On en voit parfois photographiées dans les magazines, témoins anachroniques de la vie quotidienne de nos aïeux, pas encore classées au rang des silex de la préhistoire, mais presque. Mélanie avait pensé : « Puisque Papa n'en a pas eu le courage, c'est à moi de les jeter. »

Elle ne l'a pas fait. « Je ne suis pas chez moi », s'était-elle dit pour s'expliquer sa faiblesse. En vérité, ces vieilleries lui inspirent du respect : à l'époque de leur splendeur, de leur « vie », ces objets furent entretenus avec zèle, amour, ils en conservent une dignité, de l'allure.

Le corps des gens disparaît tout de suite, après leur mort, leurs vêtements aussi, leurs affaires de toilette, leurs papiers, mais il arrive, dans les très vieilles maisons comme celle-ci, que les ustensiles, faits d'un matériau d'une qualité hors pair, leur survivent. A peine bosselés, avec un point de rouille par-ci par-là, forts de leur identité.

Les jeter, ce serait comme achever un être encore vivant.

Mélanie a fini par comprendre les raisons qui avaient rendu son père si conservateur, le pourquoi de tel ou tel arrangement, comme la survivance de ce qui, autrefois une « commodité », est devenu avec le temps une incommodité.

Son père et elle, sans l'exprimer, ont communiqué à travers les objets.

Comme si ce réseau de meubles, de vaisselle, de batteries de cuisine, de linge, de papiers, de livres, transmis sur quatre générations, avait été un langage. La langue secrète des ascendants, qu'il faut être de la famille pour comprendre.

« Vais-je oser y toucher ? » se demande Mélanie depuis qu'elle en a hérité.

Hériter est un grand mot, elle s'en considère comme la gardienne, à l'égal de la femme attentive qui, de l'autre côté de la rue, s'occupe depuis des années du musée régional. « Nous sommes toutes deux affectées à la conservation, se dit Mélanie. Mon territoire est plus exigu que le sien, sûrement moins bien tenu, mais, moi aussi, il m'arrive de faire visiter... »

Cette pensée lui fait du bien : elle a un rôle, la maison a besoin d'elle.

Et puis, comme un coup de tonnerre, s'annonce le débarquement imminent de Yolande, flanquée d'un notaire, d'un commissaire-priseur, pour procéder à « l'inventaire » !

— D'ici là, a ajouté le notaire, ne touchez à rien, ne vendez rien. Il faut qu'on retrouve en place tout ce qui est mentionné dans l'inventaire précédent.

Comme si Mélanie pouvait imaginer de démembrer le « musée » ! Où en prendrait-elle le cœur ?

Pour répondre quelque chose, elle a murmuré :

— Vous savez, je vis en partie ici depuis plus de cinq ans, il y a beaucoup de choses qui m'appartiennent en propre.

— Vous le direz. Tout sera noté.

— Et si je mettais dans des placards ce qui est à moi ?

— Cela ne servirait à rien. Il s'agit d'un inventaire à « tiroirs ouverts ».

— Qu'est-ce que cela signifie ?

— Votre sœur pourra demander à voir le contenu de chaque meuble.

— Même les vêtements de Papa ? Les miens ?

— Tout.

2

A tiroirs ouverts ! Autrement dit, la fouille. Comme à la douane, à la police.

Mots et images se pressent, pénibles, excessifs. « C'est que je suis dans le deuil, songe douloureusement Mélanie. Je me défends mal. »

Tout ce qui entoure la mort est insoutenable. Pour manger, dormir, elle doit chasser les visions. Elle qui aime revenir sur les événements pour en chercher le sens fuit systématiquement ceux des derniers jours.

Tant qu'il eut encore un souffle de vie, ce qui s'est passé autour de son père a été singulier, n'appartenant qu'à eux deux. Aussitôt après, tout est devenu anonyme. L'appel aux pompes funèbres, la mise en bière, le corbillard, l'ouverture du caveau, les fleurs, les larmes, même sincères, c'est le rituel de tous les enterrements. Mélanie avait assisté plusieurs fois à cette « opération » dont le déroulement est facilité par la présence d'un maître de cérémonie ou de relations qui prennent les choses en main.

La famille, les amis, tout le monde a joué son rôle ; ces heures-là peuvent s'oublier. Mais ce sont les jours d'avant qui la déchirent. Ce qui s'est passé d'insolite, de poignant, parfois au-delà des mots.

Ainsi, quand le jeune médecin a dit : « Je vais l'habiller », Mélanie est allée chercher un costume, une cravate, celle qu'il préférait, la rose mouchetée de blanc, puis elle est sortie de la pièce. Soudain, elle a éprouvé le besoin d'y retourner — dans les premiers instants, on ne « croit » pas à la mort, on veut vérifier si c'est vrai. Elle a poussé la porte pour découvrir le médecin, assis au pied du lit, la cravate rose lâchement nouée autour du col de sa chemise ouverte. Il lui a lancé un regard d'excuse :

— Je ne sais pas faire un nœud de cravate sur quelqu'un d'autre, alors je tâche de le faire sur moi !

Il avait l'air perdu, alors qu'il avait su se montrer présent, efficace, rassurant. La mort est normale : pourquoi choisit-on d'être médecin, si ce n'est pour s'en assurer à travers la souffrance ? Celle d'autrui, la sienne aussi. Son père avait beaucoup aimé ce jeune docteur.

Maintenant, Yolande va survenir avec des officiers de justice et exiger d'ouvrir les armoires, décompter les cravates — il manquera la rose —, elle qui ne lui en a jamais offert une seule. Certaines sont si vieilles, immettables. Pourtant, Violette et Mélanie les ont conservées : toutes rappellent une époque, une cérémonie, un événement particulier.

Et il y a les dernières, celles qu'elle lui achetait pour ses anniversaires, une réception, Pâques ou Noël. Édouard se considérait comme trop âgé pour renouveler sa garde-robe, mais une cravate neuve donnait un air de fête à sa tenue. Mélanie la lui choisissait dans les tons clairs, assortis à ses yeux désormais délavés ; sa vue étant fatiguée, elle avait aussi remarqué qu'il discernait mieux les couleurs vives. Il ne la félicitait sur sa robe que lorsqu'elle était éclatante.

— Tu ne devrais pas me faire de cadeaux, reprochait-il, un vieux bonhomme comme moi n'a plus besoin de rien.

Mais il souriait, il était content, aplatissant de la paume l'emballage de luxe. Le lendemain, il arborait la cravate neuve et bombait le torse dans sa direction sans rien dire : c'était à Mélanie de remarquer comme il avait fière allure.

— Ce que tu es beau, Papa !

— Tu exagères...

Il était ravi : sa fille pensait à lui, sa fille l'admirait. Il se plongeait dans son courrier sans plus s'occuper d'elle et Mélanie vaquait à ses affaires ou à celles de la maison.

En dehors des repas, ils ne se voyaient guère, n'échangeaient que peu de paroles. Leur entente, invisible aux yeux des autres, suffisait à les réjouir chacun dans son coin.

Bien sûr, Mélanie avait des soucis, des bonheurs, toutes sortes de souvenirs qu'elle ne partageait pas avec son père. Lui aussi avait eu sa vie de son côté, qu'elle n'avait pas connue — ils avaient vécu séparés la plupart du temps. Il ne lui en parlait pas. Leurs points de concordance, l'accord tacite qui s'était institué entre eux sans qu'ils aient eu à le rechercher n'en étaient que plus précieux.

Mélanie ouvre l'armoire aux vêtements. Quand son père lui demandait de monter lui chercher un mouchoir ou un gilet de laine, elle ne se permettait pas de fouiller, même de l'œil, tentant de trouver au plus vite l'objet requis.

Un père n'est pas un enfant, ni un mari, ni un amant ; l'intimité ne peut porter que sur certains points, limités. Ainsi, elle ne connaissait pas le montant de ses revenus, ni de sa pension d'ancien combattant, elle ne lui parlait ni de ses gains ni de ses impôts. Ils cohabitaient mais ne faisaient ni bourse ni vie communes.

Mélanie fait défiler les vêtements suspendus aux cintres, elle n'avait jamais remarqué sur lui à quel point ses costumes étaient usés au bas des manches, aux coudes. Il les portait si crânement ! Et râpés à l'encolure. Seules les cravates neuves, accrochées au dos de la porte de l'armoire, resplendissent.

Mélanie s'essuie les yeux.

« Je n'ai pas versé une larme à son enterrement et je pleure sur ses cravates ! » Ce sont les jours de joie évoqués par ces petits bouts de tissu brillants qui lui font mal.

Mais il est impensable qu'elle pleure face à Yolande, laquelle ricanerait comme devant toute marque d'émotion de sa part. Puisqu'elle ne peut échapper à cette réquisition, elle doit s'y préparer, s'endurcir.

D'un geste décidé, Mélanie ouvre grand l'armoire de son père. L'inventaire, elle va le faire d'avance.

Elle-même !

3

La première fois qu'elle est entrée dans cette maison, Mélanie devait être si petite qu'elle ne s'en souvient pas. Ce qui comptait, à l'époque, c'était sa main dans celle de sa mère ou de sa grand-mère, le sentiment bienheureux d'être accompagnée et guidée par la formidable puissance maternelle.

On avait dû lui dire : « Avance », ou : « Va saluer ton grand-père. »

En d'autres termes : « Tiens-toi bien. »

Cette longue série de « Tiens-toi bien », Mélanie a longtemps pensé que c'est ce qu'on appelle « éducation », et que les grandes personnes qui les lui serinaient obéissaient à des préceptes sûrs : ce qu'on fait et ce qu'on ne se permet pas en société. Il a fallu que ses bien-aimés disparaissent les uns après les autres pour que Mélanie entrevoie qu'à travers le petit bout de chou qu'elle était alors, c'étaient les adultes qui tenaient à faire bonne figure.

Avant la Seconde Guerre, dans les milieux encore imprégnés des préjugés d'autrefois, ce qui comptait, c'était de « bien se conduire », d'être « bien vu ». De montrer, par son attitude et ses manières, qu'on appartenait à un « bon milieu ».

Sa chère vieille grand-mère, sa mère, tant qu'elle a vécu, ses tantes n'en étaient pas certaines. Doutant d'elles-mêmes du fait qu'elles étaient des femmes. Et elles s'étaient surveillées toute leur vie pour paraître de « vraies dames ». D'où leur conviction que l'important consistait à apprendre aux petites à se démarquer de ceux qui n'avaient pas « bon genre ».

Ce qu'on nomme l'intérêt passait après. Ces femmes sans défense face au pouvoir des hommes ont souvent préféré se faire voler, dépouiller, plutôt que de se conduire avec ce qui aurait pu sembler de la cupidité.

Elles n'ont jamais dit à l'enfant — cela leur eût paru « mal élevé » — : « Cette maison appartient à ton grand-père, ton père en héritera un jour et ensuite, comme tu es l'aînée, elle sera à toi ! »

Ce qui fait que Mélanie n'est nullement préparée à se retrouver avec la maison sur les bras. Même lorsque son père, devenu très vieux, lui disait : « Il faudra que tu t'occupes de notre maison après moi », elle répondait la seule chose que son éducation lui permettait de proférer : « Tu vas beaucoup mieux, ne t'occupe pas du reste, on verra plus tard... »

Les bonnes manières !

Aujourd'hui, Mélanie regrette son détachement, elle aurait mieux fait de dire à son père : « Sois tranquille, je m'occuperai de la maison, c'est promis. » Cela aurait rassuré le vieil homme sur le destin de son patrimoine, qui comptait peut-être plus à ses yeux que sa propre espérance de vie. A plus de quatre-vingt-dix ans, il devait la savoir courte.

Toutefois, depuis que son père était devenu moins actif, puis pratiquement impotent, Mélanie avait pris sur elle de s'informer de l'emplacement des compteurs, du nom des réparateurs, des contrats passés avec la Compagnie des Eaux, les PTT, l'EDF. Pour soulager son père des charges domestiques.

Mais elle n'a rien modifié à l'installation, même inadéquate ; rien déplacé, ni un meuble, ni un bibelot.

Maintenant, elle se retrouve à la tête d'une organisation qu'elle n'avait songé jusque-là qu'à entretenir telle quelle.

— Cela n'est pas encore à moi, a-t-elle dit au notaire.

— Vous vous trompez. A la seconde où votre père est mort, la maison a été à vous, a répondu Me Gaurin. La loi exclut qu'un bien reste sans possesseur.

Mélanie a commencé par trouver la loi bien bonne, presque maternelle. Il a fallu les premières factures libellées à son nom pour qu'elle comprenne ce que sous-entendait cette magnanimité : aux yeux de la loi, il faut qu'il y ait toujours quelqu'un pour payer les notes, les impôts, les taxes, répondre éventuellement d'un accident, d'un dommage à voisin, etc. La société entend pouvoir se retourner à tout moment contre un responsable. Elle, en l'occurrence.

Mélanie, pour son compte, n'a personne sur qui s'appuyer.

Sauf la maison.

— Maintenant, tu es à moi, dit-elle en posant sa joue contre le mur de l'entrée saupoudré d'une légère couche de salpêtre qui lui blanchit la figure.

« Je suis poudrée *à la maison* », songe Mélanie en allant s'essuyer à la cuisine avec l'un des vieux torchons rayés de rouge.

Quand on murmure amoureusement à un être humain « tu es à moi », on ajoute généralement : « pour toujours ». Mélanie ne l'a pas dit : dès l'instant où elle a admis qu'elle était propriétaire de la maison, elle a su que ces murs et tout leur contenu lui survivraient.

Jusque-là, Mélanie n'évoquait pas sa propre mort, ou alors sans conviction. Maintenant, c'est devenu une évidence : elle disparaîtra un jour et elle a le devoir, comme l'a fait son père, d'assurer de son vivant l'avenir de cette demeure. Les maisons, surtout quand elles sont anciennes, vivent si longtemps.

Son père lui a fait un étrange legs : en sus d'un bien immobilier, Mélanie vient d'hériter de la mort. Celle des êtres et des choses.

4

« Un sac à passé ! Cette maison n'est rien d'autre... Qu'est-ce qui peut bien intéresser Yolande là-dedans ? » se demande Mélanie en passant d'une pièce à l'autre.

Rapidement, elle ouvre puis referme les placards, les commodes, les penderies, les tiroirs, les boîtes... Du vivant de son père, elle ne s'est permis aucune inquisition dans ce qu'elle considérait comme son territoire. Le sien, au second étage, où elle s'est installée quand elle est venue le rejoindre après la disparition de Georges, comporte suffisamment d'armoires et de meubles vides pour qu'elle y range ses affaires, et elle s'en est contentée.

Son père non plus ne venait pas inspecter ce qui lui appartenait, et ce n'était pas parce qu'elle était plus ingambe qu'elle devait se comporter autrement avec lui.

Elle se souvient du jour où, éprouvant le désir d'aller voir au grenier s'il n'allait pas retrouver certaine cantine dans laquelle il avait rangé autrefois ses affaires de jeune homme, carnets, journaux intimes, courrier, il avait

entrepris d'escalader les trois étages. L'opération lui avait pris presque une demi-heure, tant
il souffrait à chaque marche, marquant une
pause à tous les paliers. Parvenu à celui de
Mélanie, il avait jeté un regard curieux, par les
portes entrouvertes, sur ce qui était devenu les
appartements de sa fille. Sans insister.

C'était la dernière fois, il devait le pressentir,
qu'il montait jusque-là. Il aurait pu en profiter
pour entrer voir comment elle avait arrangé les
lieux, quels bibelots, quelles photos étaient dis-
posés sur les nouveaux rayonnages. Il ne l'avait
pas fait.

Mélanie en avait éprouvé du soulagement,
mais aussi du regret. Son père avait l'esprit
critique : il aurait pu trouver que ces étagères
de bois blanc — elle avait tant de livres à caser
— n'avaient pas suffisamment d'élégance pour
la vieille maison. En même temps, elle aurait
aimé qu'il constatât comme elle se trouvait
bien dans ce qui était devenu un appartement
séparé où, chez lui, elle se sentait chez elle.

Cela aurait peut-être rassuré le vieil homme,
qui ne l'était jamais tout à fait. Il en aurait
déduit que sa fille ne le quitterait pas, elle se
trouvait à l'aise. En train d'oublier ce Georges
dont, ensemble, ils ne parlaient pas.

Son père avait eu ses chagrins d'amour, lui
aussi. Son père à lui, également. Pudeur,
manque de mots : ni l'un ni l'autre n'en avaient
rien soufflé.

« Comme si c'était mal de souffrir par
amour », se dit Mélanie.

Ou alors, pour ne pas ranimer la douleur, rouvrir une plaie toujours vive.

Au fond, son père avait été comme elle : il n'y avait eu que l'amour à compter pour lui. Il fallait qu'il fût mort pour qu'elle le comprît.

Au-dessus du lit du vieil homme était suspendu le portrait de sa mère, dans ses atours d'avant la guerre de 14, si belle, si élégante, morte à trente-cinq ans. Sur la cheminée, la photo d'Hélène, sa mère à elle, enlevée elle aussi dans la fleur de l'âge. Puis celle de Jeanne, la seconde femme d'Édouard, décédée subitement il y avait quelques années.

Rien que des femmes. Son père avait vécu dans l'amour des femmes. Quand il s'était encore une fois retrouvé veuf, ç'avait été au tour de Mélanie de l'entourer. Devenu plus vulnérable avec l'âge, peut-être avait-il eu terriblement peur de la perdre, elle, la dernière femme de sa vie. Édouard devait se dire qu'il suffisait qu'elle retrouve ce Georges, qu'il revienne la chercher ou même lui fasse signe, pour qu'elle songeât à s'en aller !

Accoudée à la cheminée, Mélanie se met à pleurer face à la glace où se trouve glissée l'une des dernières photos de Jeanne, accrochée au bras d'Édouard. Cette corpulente personne a été sa belle-mère et, pendant plus de quarante ans, la maîtresse de la maison.

A l'époque, Mélanie, devinant que Jeanne était jalouse du passé de son mari ainsi que de ses deux grandes filles — elle n'avait pu avoir d'enfants —, ne l'aimait pas beaucoup.

Aujourd'hui, à voir le regard enflammé que la pauvre femme, morte dix ans avant lui, lance à son mari, l'indulgence lui vient : Jeanne aussi, à sa manière, a vécu dans l'amour d'Édouard.

« Jamais je n'ôterai sa photo de là », se promet Mélanie.

Tout va rester en place, comme l'avait voulu son père, lequel a peu touché à l'arrangement des lieux depuis son propre père. Il s'est contenté d'y rajouter ces portraits de femmes, photos, peintures, dessins au crayon, trônant partout.

Il y a même l'arrière-grand-mère, Sophie, peinte dans le fauteuil en cuir repoussé du salon, son petit chignon blanc serré sur le haut de son crâne, guère souriante, sans doute édentée à voir l'étrécissement du bas du visage. « Elle était si bonne, ma grand-mère », lui disait sa tante paternelle en considérant le sévère vieux visage.

Toutes ces femmes ont vécu dans cette maison, parfois y sont mortes, comme Jeanne et Sophie. Mélanie n'est que la dernière de la chaîne.

L'une après l'autre, elles y ont laissé une impalpable poussière de vie qui se devine à certains arrangements de style féminin.

Leur voix a résonné dans la cage d'escalier. Comment était la voix de Mélie, sa grand-mère ? Le vieux lustre l'a entendue, mais Mélanie ne le saura jamais.

Édouard a toujours eu la voix un peu cassée. Peut-être depuis le jour tragique de la mort de sa mère, quand il avait douze ans ?

Mélanie imagine, reconstitue, sachant qu'elle rêve. Mais qui sait si ces images émanant des murs, des tableaux, des miroirs, et qui viennent à sa rencontre tandis qu'elle erre d'un étage à l'autre, ne sont pas de *vrais* fantômes, messagers d'une vérité ?

Elle retourne dans la pièce du bas, celle où son père est mort la main dans la sienne. Sa présence est partout, au plafond, dans les rideaux, sur le canapé-lit où elle n'a pas osé s'asseoir, les premiers jours.

C'est accablant — et très fort aussi. L'assurance que la mort n'est pas la fin de tout. Que l'amour n'abandonne jamais.

Georges le sait-il ?

5

Maintenant que des regards étrangers —
Yolande, en commandant l'opération judiciaire, se comporte en étrangère — doivent se
poser sur ces pauvres choses, Mélanie éprouve
de la compassion pour leur vétusté. Les inventorier, c'est comme mettre à nu un très vieux
corps — cela se fait dans les hôpitaux, lors de
la visite du « patron ». Au mépris de toute
pudeur...

En passe de devenir grabataire, son père ne
quittait plus la maison. Mélanie avait fait en
sorte de lui installer sa chambre à coucher
dans ce qui avait été le salon, et une infirmière
venait lui faire sa toilette sans qu'il eût à bou-
ger.

Un temps, il put encore se déplacer sur ses
deux cannes pour se rendre à la salle à manger.
Il n'avait que quelques mètres à parcourir :
traverser l'entrée, se rendre jusqu'à sa chaise,
toujours la même depuis la fondation des
choses !

Le vieil homme accomplissait ce trajet de
plus en plus lentement. Toutefois, il persistait

dans ses gestes habituels : jamais il n'aurait quitté l'entrée sans éteindre, ce qui le ralentissait encore.

— Laisse, Papa, je vais le faire ! s'écriait Mélanie, anxieuse de le voir mettre son équilibre en péril pour quelques kilowatts.

Rien n'y faisait : prenant les deux cannes dans la même main, malgré ses jambes qui le soutenaient mal, il libérait l'autre pour atteindre le commutateur, feignant de ne point avoir entendu l'injonction de sa fille. Tout ce qu'il pouvait faire par lui-même, sans l'aide de personne, il tenait encore à l'accomplir.

Cette obstination irritait Mélanie, laquelle craignait la chute, mais, en même temps, l'emplissait d'admiration pour cet homme et, à travers lui, pour l'espèce humaine, si accrocheuse, teigneuse même.

A table, comme il y voyait de moins en moins bien, il ne distinguait pas toujours la carafe ou la salière, et les réclamait d'une voix de maître. Mélanie, Violette se précipitaient : « C'est là, Papa », « Tenez, Monsieur... »

Commençait alors le repas, composé des trois plats rituels, et tant qu'il mangea d'aussi bon appétit, Mélanie ne s'en fit pas trop.

C'est quand son appétence diminua que la tristesse s'abattit sur la maison. En fait, Édouard perdait le goût et, comme manger avait été l'un de ses plaisirs essentiels, lui aussi devint morose et même — ce qu'il n'avait jamais été jusque-là — grognon.

Toutefois, il ne perdait pas son talent pour

parer aux manques ou aux défauts de l'existence. Mélanie appelait ça du « bricolage ». Et elle eut la surprise, quelques jours avant sa mort, de voir arriver un lourd colis payé d'avance : des sauces en boîte de toutes espèces — sauce madère, sauce au poivre, sauce aux herbes... — que son père s'était commandées, sans rien en dire, dans l'espoir de redonner de la saveur à ses aliments (il accusait Violette de ne plus les saler) et de retrouver son envie de manger, donc de vivre.

Lui aussi était convaincu que tant qu'il mangerait comme à son habitude, tout continuerait comme avant.

Ses gestes, ses façons de faire, ce qu'il racontait, tout avait un sens si déterminé que son entourage en était imprégné comme on l'est de la parole d'un chef. Pourtant, dans son grand âge, Édouard ne donnait plus d'ordres, ou très rarement. Il se contentait de rappeler la règle, la sienne, à son aréopage de femmes. A Mélanie, Violette, l'infirmière, s'étaient en effet ajoutées la personne qui venait lui faire faire quelques mouvements de gymnastique et une aide-soignante. Tandis qu'on s'occupait de lui, le vieil homme expliquait comment il convenait de faire les choses. De les penser, aussi.

Comme s'il détenait les secrets du bien-vivre, et, vu son âge, c'était peut-être vrai. Est-ce pour cela que tout le monde tentait de lui complaire ? Il n'y avait pas que Mélanie : les autres femmes aussi devaient avoir le sentiment qu'en se pliant à ses désirs, elles accomplissaient un rite bénéfique pour elles-mêmes. « Tout ce qu'il m'a apporté... », devait soupirer plus tard l'infirmière en le pleurant.

Édouard tenait-il ce comportement de son père et de son grand-père avant lui ? C'était une époque où ceux qui voulaient asseoir leur position dans la société devaient surveiller leur conduite autant que leurs dépenses. Le loisir était considéré comme une dépense ; il en fallait, un peu, point trop.

Non, Édouard n'était pas un tyran, loin de là. S'il éteignait l'électricité en quittant une pièce, il n'exigeait pas que les autres en fissent autant. Il avait simplement l'air de dire : « C'est mieux ainsi, vous ne croyez pas ? »

C'est par de tout petits gestes, des mots tombés au bon moment — « Les moules sont meilleures à la crème », « Le verre à bordeaux, c'est celui qui est en forme de tulipe », « Quand il fait chaud, il convient de mettre les volets en tuiles » — qu'Édouard avait peu à peu rempli la maison de sa présence. A ras bord.

Mort, il est toujours là. Plus omniprésent encore, puisqu'il occupe toutes les pièces en même temps. Sans compter le jardin qu'il a tant contemplé, taillé, arrosé, et même entretenu par la pensée.

— As-tu songé à commander des impatiens et des pétunias ? demandait-il à Mélanie alors qu'il ne sortait déjà plus de la maison. Prends mon cahier dans le deuxième tiroir du classeur, il y a marqué « Jardin ». Tu verras le nombre de plants à demander au fleuriste, il te les livrera, il a l'habitude. Après, il faudra que le jardinier vienne les mettre en place. Tu peux choisir les couleurs que tu veux...

Tout devait continuer comme chaque année depuis des décennies. Pourtant, pour bien montrer à Mélanie qu'elle était un peu « maîtresse », afin de lui indiquer qu'il lui faisait confiance, et aussi pour lui faire plaisir, il lui laissait le soin de choisir les coloris de l'été !

Tout en arrosant la bordure d'impatiens roses, blanches, rouges, et de ce joli mauve qu'on obtient maintenant, fleurs que son père avait voulues, payées, mais qu'il n'a pas vues pousser, Mélanie se remet à pleurer.

Parce que ça a été et que c'est fini ?

Ou à cause du formidable bonheur que son père lui a mis au cœur, sans paraître y toucher, et qui ne s'éteindra jamais ?

6

« Elle n'aurait pas dû... », « Ils n'étaient pas faits l'un pour l'autre... », « Un homme comme ça, c'est tout juste capable de courir... », « Avec leur différence d'âge, qu'espérait-elle ?... », « Une femme qui n'aime pas s'occuper d'une maison ne doit pas compter préserver son ménage. »

Mélanie en a entendu de toutes sortes quand Stanley l'a quittée, puis lorsqu'elle a divorcé d'avec Hubert.

Dans les deux cas, aux yeux d'autrui, elle a eu tort. Avec Stanley, de ne pas avoir exigé le mariage. Avec Hubert, de l'avoir épousé puisqu'ils se révélaient n'être pas faits l'un pour l'autre.

Tout ce que désire une famille, c'est le ronron, une séparation la dérange : parents et assimilés ont pris leurs habitudes, y compris même avec un couple illégitime. Surtout, ils n'aiment pas être confrontés, chez l'un des leurs, à ce séisme qui s'appelle la passion. Les familles les plus divisées font alors bloc.

Avec Georges, la passion a été immédiate,

dérangeante, certainement inappropriée. Il avait une femme, deux enfants, et elle-même était encore mariée à Hubert. La famille entière s'est soulevée. En vain. Tous deux avaient l'âge de n'en faire qu'à leur tête. Ou plutôt à leur cœur. Et ils ne se sont guère souciés de l'opinion, cherchant d'abord à comprendre ce qui leur arrivait.

Ce n'était peut-être que passager ? Un intermède qu'à leur âge, bientôt la cinquantaine, ils avaient formidablement envie de s'octroyer avant l'extinction des feux. Pour vivre leur troisième âge apaisés.

En somme, ce désordre subit était peut-être une sagesse, pensait Mélanie, cherchant des arguments à opposer à son entourage. Mais elle eut beau exciper de son impuissance devant la force des choses, de son « innocence » en somme, elle ne trouva aucune compréhension chez ceux qui prétendaient tenir à elle. Ils étaient unanimement contre.

C'est un printemps que Georges et elle s'étaient rencontrés à une réunion d'information où tous deux s'étaient rendus sans entrain. Assis par hasard côte à côte — plus tard, ils s'avouèrent l'avoir mutuellement cherché dès qu'ils s'étaient coudoyés ! —, ils sombrèrent dans une complicité immédiate. Celle d'adolescents qui, face à un professeur qui les embête, sont pris de fous rires pour un lapsus ou un crayon qui roule sous les sièges.

En fait, le fou rire trahissait leur surprise de se retrouver si bien accordés avec quelqu'un d'inconnu. Ce qu'on appelle, faute de pouvoir l'expliquer, le coup de foudre.

En quittant la réunion, Georges invita Mélanie à déjeuner le lendemain. Il ne l'aurait pas fait qu'elle aurait pris elle-même l'initiative d'une nouvelle rencontre, tant elle se sentait mue par une attirance qui la dépassait.

Au restaurant, ils n'ont pas commandé que Georges lui déclare qu'il l'aime, comme s'il s'agissait là d'une formule de politesse. Mélanie, dont le cœur bat à tout rompre, fait mine de n'y voir qu'une plaisanterie et répond sur le même ton :

— Moi aussi je vous aime, autrement je n'accepte pas d'invitation d'inconnus !

— Savez-vous ce qu'on va faire après avoir déjeuné ?

— Nous sommes libres ! répond Mélanie en tâchant de dissimuler son trouble.

Cet homme lui plaît tant qu'elle ose à peine le regarder en face, de peur qu'il ne lise son émotion dans ses yeux. Georges doit éprouver un sentiment semblable pour s'absorber comme il le fait dans la lecture du menu, puis dans celle de l'étiquette de la bouteille de vin, qu'il lui détaille jusqu'au nom du récoltant.

Libres, en fait, ils ne le sont ni l'un ni l'autre — et le savent. Mais retient-on un désir fou ?

Dans la voiture, elle s'escrime à boucler sa ceinture de sécurité, Georges se penche sur elle pour l'aider. Leurs doigts se touchent, puis leurs cheveux et leurs lèvres. Lorsqu'ils se détachent, Georges lui souffle à l'oreille : « Où va-t-on ? »

Mélanie y a songé tout en l'embrassant, gênée par l'éventuelle curiosité des passants.

— Chez moi ; je suis seule, ces jours-ci.

Rien de plus simple à réaliser — même si, dans l'ascenseur, elle se dit qu'elle se conduit comme une adolescente trop vite consentante. Mais elle n'en est plus une, que risque-t-elle ?

La surprise de découvrir qu'elle peut être encore aussi émotive, sexuellement. Vulnérable. Côté cœur, aussi.

Quand l'aventure amoureuse vous emporte avec autant de fougue, c'est qu'on n'a pas son content dans son couple, légitime ou pas. Une fois qu'on s'en est aperçu, la faille est là, irréparable. D'autant que si l'on est en manque, envahi par un ennui tépide, il n'est pas possible que son partenaire ne le soit pas également, même s'il n'en laisse rien paraître.

Hubert rentre trois jours plus tard, et la vie clandestine commence.

Avec facilité, comme s'ils étaient tous deux rompus à la fréquentation de ces hôtels accueillants, l'après-midi.

— C'est délicieux, confie Mélanie à Georges, de ne pas avoir de vie commune. Je n'ai pas à m'occuper de tes chemises, ni toi de mes soucis domestiques...

— J'adore tes soucis domestiques, plaisante Georges, comme tout ce qui t'appartient.

— Tu veux que je te dise ce que tu as ? Tu es amoureux... Dans trois mois, cela t'aura passé et tu détesteras jusqu'à la couleur de mon rouge à lèvres...

Mais rien ne va passer, sauf le printemps qui s'écoule comme s'il était le premier de leur vie, sans laisser de traces. Hubert repart assez vite pour l'Afrique où, décidément, il semble prendre pied. Mélanie, satisfaite d'un éloignement qui lui permet de « réfléchir », comme elle dit — en fait de s'abandonner à sa passion — ne l'interroge pas sur ses raisons.

Ils ne se disputent plus, ne se heurtent plus comme il y a quelques mois. Les amis, toujours aussi peu perspicaces, commentent : « Ça y est, ça marche à nouveau entre Mélanie et Hubert. Tant mieux, à leur âge, un couple doit savoir rester soudé. »

Bien sûr, elle sait qu'elle faillit aux promesses de fidélité qu'ils se sont faites. Mais toute évolution ne commence-t-elle pas par une trahison ? Celle-là était sans doute nécessaire. En tout cas, elle s'impose comme une évidence : elle aime.

Quand une femme aime, trahir, pour elle, c'est trahir son amour.

L'été arrive. Avec lui, les vacances. Sachant que Georges ne peut éviter de partir avec sa femme et ses enfants — il n'envisage d'ailleurs pas le contraire —, Mélanie pense à la maison où son père, servi par Violette, passe l'été depuis son second veuvage.

Mélanie a l'habitude de lui rendre de longues visites chaque fois qu'Hubert s'absente, et elle sait qu'Édouard ne prêtera guère d'attention au fait qu'elle se rende chez lui sans son époux. Puisqu'il en bénéficie, tout est bien.

Mélanie n'est pas là depuis la veille que Georges téléphone : il s'est arrangé pour soustraire deux jours à la contrainte familiale et il peut venir la rejoindre. En août, les hôtels sont pleins et peu commodes pour de nouveaux amants. Mélanie n'hésite pas : « Attends, je vais arranger les choses avec mon père. »

Elle pose le téléphone, va trouver le vieil homme dans son fauteuil à bascule, face à *Trente Millions d'amis*, l'une de ses émissions préférées : « Papa, un ami me téléphone qu'il est dans la région. Il voudrait que je lui donne le nom d'un hôtel, mais ils sont tous pleins en cette période. Ne peut-il pas coucher ici, c'est juste pour deux jours ? »

Édouard, de tempérament sociable, approuve tout de suite l'idée d'une visite, surtout de courte durée.

— Bien sûr, dis-lui qu'on l'attend, et fais préparer la chambre rouge.

A peine questionne-t-il Mélanie sur l'identité de son invité et ce qui motive son passage dans leur petite ville. Elle n'a donc nul besoin de mentir, ce qui, à son âge, l'eût agacée.

Le soir même, Georges arrive avec une boîte de cigares pour Édouard, des bonbons pour Violette. Le vieil homme se doute-t-il que cet homme mûr à la belle prestance est plus qu'un ami pour sa fille : un tournant dans son destin ?

7

La chambre rouge est située à l'écart : un grenier mansardé dont son père avait fait son atelier lorsqu'il bricolait encore ses maquettes de bateaux. Mais l'escalier extérieur qui y accède, à peine plus pratique qu'une échelle, avait fini par le décourager. Il avait abandonné les lieux aux mains des femmes. Par modifications successives — adjonction d'un lit à la place du sofa, pose de stores, transformation du placard en armoire —, elles avaient aménagé l'atelier en chambre à coucher. Les jeunes, surtout, l'appréciaient : ils avaient le sentiment de résider à part, dans un refuge où ils pouvaient sommeiller jusqu'au milieu de la matinée...

Mélanie s'étend sur le lit recouvert d'un vieil édredon de taffetas écarlate. Par la fenêtre — un « chien assis » inscrit verticalement dans le toit en pente — elle peut apercevoir les branches de la glycine qui ne cesse d'assaillir le mur, le toit, bientôt la cheminée.

En rapportant la plante de chez le pépiniériste, elle s'inquiétait de son air anémique :

feuilles délicates, vrilles transparentes, minceur des tiges plus jaunes que vertes. Elle avait appelé le vendeur : « Je lui trouve mauvaise mine, et depuis qu'elle est en terre, elle a perdu ses feuilles... » L'homme avait ri : « Ne vous inquiétez pas, il n'y a pas plus tenace qu'une glycine, vous allez voir. C'est comme de la mauvaise herbe, on a du mal à empêcher qu'elle n'envahisse tout ! »

En douce, la glycine avait poussé des branches noueuses, solidement agrippées à tout ce qui se présentait, y compris le vieux rosier. Au printemps, c'était une débauche de grappes mauves, comme si la plante tentait de se faire pardonner ses mauvaises manières. C'était Georges « l'auteur » de la glycine.

— C'est merveilleux, ici ! avait-il dit en posant son sac de voyage. Il faudrait planter un rosier qui apparaîtrait par la fenêtre. Ou bien une glycine.

Sur toutes les choses de la maison, il avait jeté un regard rapide, puis trouvé le mot juste pour les définir. Prévoir une amélioration.

Maintenant qu'elle y repense, Mélanie se dit que cet homme n'hésite pas à se prononcer, ni à faire des projets. C'est une des qualités qui l'ont attachée à lui. Comme la glycine, qu'elle lui doit, elle s'est enroulée autour de chacune de ses paroles.

— Ton père est un homme d'un autre temps, c'est le meilleur de ce qu'il nous apporte : la présence du passé parmi nous. On ne peut pas vivre dans le passé, mais il faut savoir ce qu'il a été pour aller de l'avant. Comme les sprinters quand ils calent leurs talons sur leurs starting-blocks : c'est derrière eux, mais ils s'y appuient pour prendre leur élan... J'aime ton père !

— Moi aussi, avait murmuré Mélanie comme si elle se le disait pour la première fois.

Grâce aux mots de Georges, tout ce qui l'irritait parfois chez Édouard, ce qu'elle trouvait figé, dépassé, avait fondu. Ce vieil homme était précieux à l'égal d'un repère, d'un amer.

Georges avait également su parler à la maison. Passant avec lui d'une pièce à l'autre, Mélanie avait découvert des trésors qui, jusque-là, lui avaient échappé.

— La cuisine est au nord, c'est bien, elle reste fraîche tout l'été, avec juste une petite lucarne vers le haut pour la lumière... C'est joli, la façon dont les chambres sont disposées en rond sur le palier, qui devient l'agora, j'imagine, quand on est nombreux. On se rencontre, on se consulte, puis chacun peut se retirer chez soi.

Mélanie n'en avait vu que les défauts : les tapisseries souillées, moisies, les portes qui fermaient mal, le plafond dont la peinture s'écaillait. Pas Georges. Ou, plutôt, ces misères ne l'affectaient pas : il tâtait, comme un médecin, ce qu'il y avait de sain, de vigoureux dans la maison, de bâti pour durer, mais aussi pour rendre heureux.

— Il y a tellement d'objets ici, se plaignait Mélanie, des meubles pour la plupart sans valeur...

— C'est la trace laissée par tes ancêtres, chérie, ces brimborions te protègent comme des talismans... Range-les dans les placards, mais ne les jette pas... Détruire une maison de famille, à moins qu'elle ne soit maléfique, c'est s'appauvrir.

— Comment sais-tu ces choses-là ?

Ils étaient dans la chambre rouge et Georges l'avait prise dans ses bras : « Je ne les sais pas, je les invente avec toi... »

Mélanie n'avait pas cherché plus loin. C'était la première fois qu'ils passaient une nuit entière ensemble, dormants, éveillés, dans le silence ou les chuchotements.

— Que tu es belle, lui soufflait Georges.

— C'est ce que tu dis à la maison ! répondait Mélanie en riant. Je sais ce qu'en vaut l'aune, tu aimes les vieilleries...

— Bêtasse ! Tu as les marques de l'âge, c'est tout. Et moi aussi. C'est ce qui nous attire l'un chez l'autre. Tu me vois avec une jeune fille ?

— Je puis l'imaginer...

— Pas moi ! Mais si je peux concevoir que n'importe quel jeune homme soit ravi de coucher avec toi, de ton côté, c'est moins sûr...

— Tu as raison, je m'embêterais.

Mélanie parle en connaissance de cause : elle a eu quelques rencontres, charmantes, avec des garçons qui auraient pu être ses fils et elle en est ressortie convaincue que chaque âge a ses plaisirs.

Jouer à l'inceste sert à ne plus en avoir envie par la suite. C'est Georges qu'elle désire, son art de la vie. Faut-il dire sa science ?

Quand il prit congé, son père tint à le raccompagner jusqu'au seuil, puis il rentra discrètement dans la maison. Mélanie se taisait.

Georges prit la parole comme pour répondre à ce qu'elle n'avait pas dit.

— Entre nous, cela ne fait que commencer. Et nous ne sommes pas pressés...

Plus personne, depuis lors, n'a couché dans la chambre rouge. Un tube de pâte à raser, oublié dans le minuscule cabinet de toilette, rappelle qu'un jour cet homme a été là.

Mélanie replie son bras sur ses yeux. Comment la maison peut-elle accepter que tous ceux qui l'ont aimée disparaissent les uns après les autres ? Comment fait-elle pour leur survivre ? Comment fait-on ?

L'inventaire est fixé au surlendemain. Mélanie se lève du vieux lit aux montants de noyer, passe dans le cabinet de toilette attenant et dissimule le tube de rasage derrière un paquet de coton hydrophile. On ne sait jamais, avec Yolande : une sorte de curiosité maladive pour la vie d'autrui lui donne parfois des intuitions surprenantes. Yolande se sert alors de ce qu'elle découvre pour se gausser et mettre en accusation.

« Comme un juge menant sans cesse un procès contre l'humanité entière », se dit Mélanie.

Elle comprend soudain que c'est pour cette raison qu'elle redoute tant l'inventaire : Yolande va passer au crible la pauvre vieille maison, sonder ses lèpres, ses blessures. « Dieu sait s'il y a de quoi faire ! songe-t-elle en considérant la porte dont le bois s'est fissuré. Tout est si usagé ! Certaines choses ne tiennent plus que parce qu'on leur montre quotidiennement qu'on a besoin d'elles. »

Elle s'arc-boute contre le mur qui monte en biais vers le toit : « Je te défendrai. »

Mais qui va lui servir de soutien, à elle ?

Si seulement Georges était à ses côtés !

8

Calée dans l'un des gros fauteuils du salon, recouvert d'un drap pour en dissimuler la misère — on voit s'en dessiner les ressorts —, Yolande assène à brûle-pourpoint :

— Tu as les factures ?

Fascinée par le côté chirurgical de l'intervention, Mélanie en oublie de répondre. « On dirait qu'elle cherche à me traverser comme avec une perceuse à béton... », tressaille-t-elle.

Ce serait aux officiers de justice d'intervenir : le notaire, le commissaire-priseur, tous deux assis sur le divan troué. Mais ils se taisent.

Dès l'instant où ils ont pénétré dans la maison, à l'heure dite pour l'inventaire, Mélanie a deviné que ces hommes s'étaient bardés pour ne pas se laisser entraîner dans un affrontement entre femmes. Ils se veulent là pour une action dont les tenants et aboutissants sont déterminés par la loi : un inventaire successoral. Prudemment installés sur ce rail, ils jugent de leur devoir d'y rester. Ils ne sont pas payés pour faire du sentiment, mais pour estimer à son prix de salle des ventes chacune des choses contenues dans la maison, sans en omettre aucune.

Yolande, arrivée de Paris en voiture, était en retard, elle l'est toujours. Sa démarche lente, lourde, indique sa détermination : son temps est à elle, tant pis pour celui des autres, et qu'on l'attende lui paraît normal, lié à la majesté qu'elle-même se confère. Elle prend également son temps pour ouvrir la bouche, proférer ses phrases, n'hésitant pas à couper la parole à autrui. Elle règne. Ou plutôt : voudrait régner. Mais n'est pas roi ou reine qui veut, s'en donner les airs ne suffit pas.

« Elle embête, c'est tout, se dit Mélanie. Fait peur aussi, pour une raison simple : que va-t-elle encore inventer pour que capote ce qui devrait aller de soi ? »

Comme entrée de jeu, le coup des factures n'est déjà pas mal !

Mélanie a averti : « Il y a ici des meubles et des objets de trois origines : ce qui a toujours été dans la maison ; ce qui vient de l'appartement de mon père, à Paris, dont il a résilié le bail juste avant sa mort ; et ce qui m'appartient à moi, du temps où j'avais une maison avec mon ex-mari. Je l'ai apporté ici quand je m'y suis installée près de Papa.

— Ah bien, très bien, dit Me Gaurin en se tournant avec affabilité vers son confrère. Nous n'avons donc pas à estimer les meubles appartenant à Mme Boyer. Ils ne font pas partie de la succession.

— Sur mes possessions, ajoute Mélanie, j'ai accolé une pastille verte, afin que vous puissiez les repérer tout de suite. Les autres meubles et objets ont une pastille soit bleue (pour ceux d'ici), soit rouge (pour ceux de Paris). »

Le temps que cela lui a pris !

Meubles et objets avaient été disséminés dans chaque pièce et s'étaient si bien intégrés les uns aux autres qu'elle ne savait plus, pour certains, leur origine. Puis le souvenir revenait, aigu, douloureux.

Ce petit guéridon de bois blond, Hubert et elle l'avaient déniché dans une brocante près d'Yvetot. Mélanie le trouvait cher, mais Hubert, corsaire de tempérament, avait fait du charme à la belle antiquaire, laquelle, s'ennuyant un peu, n'attendait que ça. Le rabais acquis, il avait emporté l'objet sur son épaule, les pattes en l'air, comme une proie vivante, tandis que Mélanie signait le chèque.

Hubert le Conquérant, comme elle l'appelait parfois : tout, pour lui, était lutte, défi, partie de chasse, duel, compétition, rivalité, en somme la guerre, et il n'était content que lorsqu'il avait triomphé d'un adversaire qu'il s'était parfois créé de toutes pièces.

— Ça y est, on a gagné ! s'exclamait-il, et il prenait Mélanie par le cou, cherchant à l'embrasser sur la bouche tout en conduisant.

Il y a aussi le fauteuil philippin qui jure dans la maison et qu'elle a relégué dans la chambre du haut, le canapé aux accoudoirs de bois en forme de cygnes, installé dans l'entrée depuis qu'elle l'a fait regarnir, des cuivres, une horloge, deux lits jumeaux sans intérêt, des couettes fleuries, des rideaux, des chenets...

Tous ces objets ont une origine, tous sont entrés dans sa vie un jour ou l'autre — sans compter ceux qui lui viennent de l'héritage d'Hélène, leur mère — et sont chargés d'émotion. Tant d'êtres sont désormais absents de sa vie, il ne lui reste d'eux que des meubles...

Le passé, heureux ou malheureux, fait toujours mal, et elle a « noyé » — il n'y a pas d'autre mot — son mobilier dans celui de son père pour ne plus avoir à tressaillir en s'y heurtant.

La veille, errant dans la maison devenue « salle des ventes », Mélanie s'est dit : « J'ai bien travaillé, l'inventaire pourra aller vite... » C'est compter sans Yolande. Enfoncée dans son fauteuil, les jambes parallèles, ses chaussures bien à plat sur le parquet, ses lunettes cerclées de métal sur le bout de son nez pointu, la voilà qui reformule d'une voix acide :

— Tu as bien les factures de tes meubles ?

— Yolande, cela fait vingt ans ! Au surplus, tu les connais, ces meubles... Tu sais bien qu'ils m'appartiennent, tu les as vus cent fois chez moi.

Yolande fréquentait chez elle, du temps où elles paraissaient si unies qu'on parlait d'elles comme « des sœurs modèles » ! Aujourd'hui, elle se montre plus intransigeante qu'un contrôleur du fisc : elle veut des preuves, des papiers, exige de sa sœur des « justificatifs ».

Le notaire s'autorise à hausser les sourcils : des factures pour du mobilier datant d'il y a plus de vingt ans ? N'est-ce pas trop demander ?

Mais rien ne fléchit jamais Yolande, surtout pas l'appel au bon sens. « Elle était déjà butée dans notre enfance, mauvaise, même... », se remémore Mélanie tandis que sa sœur murmure d'une voix plus basse : « Tu dois pouvoir les retrouver... »

Cette fois, c'est presque une plainte.

9

Enfants, Mélanie et Yolande ne se quittaient jamais. Une mère malade, un père souvent absent : elles se comportaient comme des orphelines, la plus petite — Yolande — prenant sans doute sa sœur aînée pour sa mère. Et Mélanie y consentait, heureuse d'avoir cette cadette sur qui s'appuyer. Les photos de l'époque les montrent ainsi, l'aînée passant le bras autour des épaules de la petite ou la tenant par la main.

Strange bedfellows, étranges compagnons de lit : Shakespeare évoque à quel point la nécessité de vivre engendre des appariements déroutants. Mélanie avait peu en commun avec Yolande, qui devait déjà mener dans sa tête un train tout personnel. Qu'est-ce qui la rendait à ce point muette, puis soudain hurlante ? La jalousie, la difficulté à s'exprimer autrement que par des éclats ? « Elle va s'étrangler, s'étouffer ! » L'entourage supporte mal la colère convulsive des enfants, et cède le plus souvent. Yolande avait-elle pris dès son plus jeune âge le pli de fléchir les autres par des comportements incongrus, violents ? D'inutiles cachotteries ?

C'est quand on sonne à la porte qu'elle laisse tomber d'entre ses dents : « Ce doit être Hermine. » Sa fille.

Mélanie ne réagit pas. Yolande — cela fait partie de son caractère — cultive les effets de surprise. Or, Mélanie ne tient pas à lui donner le plaisir de penser qu'en se flanquant d'Hermine sans prévenir, elle a encore « eu » son monde.

Les officiers de justice, pris de court eux aussi, ne se permettent pas de poser la moindre question, mais leur attitude interroge : « Hermine, qui est-ce ? »

Au lieu de les renseigner, Yolande prolonge le suspense : « Elle a rangé la voiture. »

C'est seulement quand Hermine pénètre dans la pièce, avec l'habituelle précipitation haletante qui dissimule son malaise, que Yolande jette comme à la cantonade : « Ma fille ! »

Mélanie s'approche d'Hermine avec élan et l'embrasse sur les deux joues. Elle trouve plus facilement le contact avec sa nièce qu'avec sa sœur. En fait, elles se sont toujours aimées malgré les silences, la distance.

— Je ne savais pas que tu venais !

— Je n'ai pas voulu laisser Maman seule..., murmure Hermine en se détournant de sa tante pour se rapprocher de sa mère.

« Rien n'a bougé, se dit Mélanie. A vingt-cinq ans, elle est toujours collée à sa mère. Pauvre Hermine ! »

Depuis que sa fille est arrivée, Yolande s'est comme redressée, animée d'une énergie nouvelle :

— Alors, on y va ? Nous n'avons pas trop de temps...

C'est à cause de son retard que l'opération n'a pas encore commencé, mais Yolande a le chic pour mettre les autres en tort. C'est sèchement qu'elle leur fait ensuite remarquer qu'ils y sont.

Les deux officiers de justice ne manquent pas d'accuser le coup et plongent le nez dans leurs papiers.

Une énorme lassitude s'empare de Mélanie face à l'affligeant spectacle. A quoi joue-t-on : aux gendarmes et aux voleurs ?

Yolande a sorti, elle aussi, une liasse de papiers, elle en tend une partie à Hermine, laquelle tient un crayon. Les deux femmes pointent au fur et à mesure les meubles mentionnés. Pour constater qu'ils sont là, puis pour noter le prix énoncé par le commissaire-priseur.

Mélanie s'aperçoit vite que l'estimation est à peine différente de celle qui avait déjà été faite lors des deux précédents inventaires, à Paris comme ici, avant la mort de leur père. Lequel avait cru tout arranger d'avance en payant de sa poche et de son vivant les estimations notariées. Il ne voulait pas qu'il y eût de « problèmes » entre ses filles.

Hélas ! dans les successions, les problèmes dépendent non de la loi ou du testateur, mais de la bonne ou mauvaise volonté des héritiers, rarement respectueux de la volonté des disparus.

Mélanie comprend soudain pourquoi elle se sent mal depuis quelques minutes. C'est ici, dans cette pièce, que son père est mort. Ce sont ses « petites affaires » auxquelles il tenait tant, stylos, pendulette, presse-papiers, souvenirs, calendriers, placés dans un ordre immuable, que ces indifférents saisissent à tour de rôle pour les soupeser, les retourner, les évaluer.

Mélanie, les bras ballants, ne peut qu'assister, impuissante, à l'indécent tripotage.

Une drôle de pensée lui traverse l'esprit : « Tiens, Papa est parti en oubliant ses lunettes ! »

10

Quand Mélanie se retrouve avec Georges après son bref séjour dans la maison, leurs rapports ont évolué : ils sont devenus plus confiants.

Jusque-là, ils se voyaient soit chez elle, en l'absence de Hubert, soit dans des chambres d'hôtel, et comme le temps leur était compté, ils avaient tendance à passer à l'amour sans préambule. Puis ils demeuraient dans les bras l'un de l'autre, muets, pensifs, jusqu'au moment de se rhabiller.

C'est en remettant leurs vêtements qu'ils échangeaient le plus clair de leurs propos et qu'elle apprit à connaître le milieu professionnel de son amant, le nom de sa secrétaire, de son patron. Avant de se séparer, ils esquissaient des projets, les prévisions n'allant jamais plus loin que leur prochain rendez-vous.

Ne savoir d'un homme que la façon dont il fait l'amour, se lave, vous quitte, c'est peu.

Grâce à leur cohabitation, Mélanie a enfin découvert son rapport aux lieux, aux objets, aux plantes, aux autres et aussi à lui-même.

Tout de cet homme lui a plu.

Elle ignorait à quel point il était doux et pouvait se montrer attentif. Elle l'a surpris parlant avec Violette, l'interrogeant sur la ville, mais aussi sur ses goûts, son existence. Sans que ce fût affecté, comme chez d'autres. Georges était réellement intéressé par ce que cette femme simple lui révélait d'elle-même.

— Qu'est-ce que je fais ? Je mets les assiettes sur la table ?

Violette vient de faire irruption dans la salle à manger où se poursuit l'inventaire, et lance sa question d'un ton bourru.

« On dirait qu'elle joue à la vieille bonne exaspérée par tout changement de programme ! » se dit Mélanie. En fait, elle sait ce qui travaille aujourd'hui cette femme qui a tant aimé, aidé Édouard, surtout les derniers temps : l'indécence d'une perquisition dont les motifs lui apparaissent encore moins qu'à Mélanie.

Et puis, Yolande et Hermine ne se sont pas donné la peine de venir la saluer à la cuisine avant de passer à l'acte. Il faut dire que tout le monde est tendu, « stressé ». Mélanie le comprend, même si elle ne l'excuse pas ; Violette, non. En la laissant de côté, c'est comme si Yolande lui refusait le droit, qu'elle croyait acquis, de faire partie de la famille. « Alors que, les derniers temps, elle en a été mieux que personne, presque au même titre que moi » ; songe Mélanie.

Elle gardera toujours la vision de Violette tenant l'autre main de son père quand...

La veille de l'inventaire, toutes deux ont jugé utile de prévoir une collation. « Je sais d'avance que j'aurai l'appétit coupé, a dit Mélanie, mais les hommes auront peut-être faim. Yolande aussi, après la route. »

Au son de voix, Yolande s'est retournée vers Violette, qu'elle considère par-dessus ses lunettes. « Bonjour ! » Elle ne prononce pas son prénom, comme si elle l'avait oublié, ce qui est fort possible, mais elle ordonne : « Pas tout de suite ! Nous avons besoin de la table. »

C'est Mélanie qui complète l'information, elle ne fait rien sans en expliquer le motif à Violette : cette femme est toute la journée dans la maison, c'est son lieu de travail, elle la « tient », comme on dit, et elle a le droit d'être au courant de ce qui s'y passe.

— Nous allons étaler l'argenterie pour la compter, Violette. On mettra le couvert quand ce sera terminé.

Violette se retire assez bruyamment.

La veille, toutes deux ont extrait l'argenterie des différents tiroirs où Édouard la conservait depuis qu'il ne s'en servait plus. Comme elle s'était noircie, Violette a proposé de la faire briller et Mélanie a eu du mal à la convaincre que ce n'était pas opportun !

Violette ne voyait qu'une chose : qu'allaient penser ces messieurs-dames d'un vieux tas de couverts laissés sans soins ?

A l'évidence, le plus grand bien ! Extirpant du buffet de vieux écrins à moitié démolis, des masses de cuillers, fourchettes, couteaux aux manches d'ivoire ou de corne jaunis, des louches, de grands couverts de service ornementés, elles entreprennent de les ranger par catégories, puis de les compter. Le compte n'étant jamais complet, depuis le temps, on recommence !

— Tiens, dit Yolande, il n'y a que neuf couteaux gravés « J.D. »...

Et de lancer un coup d'œil interrogateur à Mélanie comme si elle la soupçonnait d'en avoir dissimulé.

« Mon Dieu, se dit Mélanie, que croit-elle que j'ai pu faire de trois couteaux d'une vieille argenterie que le brocanteur propose au poids ? Que je les ai vendus pour trois francs six sous ? »

C'est cette suspicion qui est usante. Yolande poursuit sans désemparer :

— Et qu'est-ce que ça veut dire, « J.D. » ?

— Je n'en sais rien, intervient Hermine.

De fait, la jeune femme ne sait pas grand-chose, par manque d'intérêt, de sa famille grand-paternelle.

— Jeanne Deval, répond Mélanie.

— Ah, c'était à la belle-mère ! s'exclame Yolande, soudain réjouie. Cela ne m'étonne pas, on dirait des couverts de cuisine.

Yolande n'a pas désarmé vis-à-vis de Jeanne. Sans doute pour n'avoir jamais vécu près d'elle, ne fût-ce que quelques jours, elle n'a rien vu ni voulu savoir de l'amour que cette femme portait à leur père. Pour Yolande, une belle-mère est par définition une usurpatrice. Il s'agit de s'approprier ce qu'elle a laissé, avec le reste.

Menée avec une minutie excessive, l'opération se traîne et les deux hommes vont et viennent, excédés. Il va être midi et on en est toujours à fouiller les tiroirs de la salle à manger !

Mais les officiers de justice ne sont pas là pour activer, ou bien ils n'osent pas. M\e Gaurin prend toutefois un air pincé pour laisser tomber :

— Ce que vous comptez là, madame, ce n'est pas de l'argent, c'est du métal argenté...

— Ah ? fait Yolande, sans doute déconfite, mais qui le dissimule sous un air encore plus décidé. Je trouve cela joli, moi, ce petit guilloché. Viens donc voir, Hermine !

Les voici toutes deux penchées sur les couverts en métal comme sur un trésor.

« Mon Dieu, se dit Mélanie, si elles faisaient preuve d'un peu plus de sentiment à mon égard, mais je leur donnerais tout ce qui leur plaît ! »

Il n'y a pas que leur manque d'affection qui la retient : le notaire lui a interdit de faire don de ce qui lui a été légué avant tout règlement successoral. Et puis, il y a le peu de cas que les deux femmes semblent faire de ce que Mélanie considère n'appartenir ni à elle, malgré la donation et le testament, ni à sa sœur, mais encore et toujours à ceux et celles qui les ont acquis autrefois par leur travail, leur sens scrupuleux de l'économie. A la famille, en somme.

Qu'ont-elles, ces deux-là, à s'en exclure par leur désinvolture, comme si elles prenaient un malin plaisir à piétiner une tombe ?

Georges avait déjà disparu quand Édouard est mort. Mélanie n'a pas pu chercher consolation auprès de lui. Qu'elle aimerait, aujourd'hui, lui raconter ce qui se passe ! L'avoir près d'elle !

Mais, s'il était là, Yolande oserait-elle se comporter en pie-grièche ? C'est parce que Mélanie est une femme seule, divorcée, ayant eu un amant lui-même marié et qui semble l'avoir abandonnée, que sa sœur, par tous ses gestes, tous ses mots, tente de lui manifester son mépris.

Et il n'y a plus leur père pour lui imposer silence, la ramener à un peu plus de retenue.

Mère et fille sont serrées l'une contre l'autre, elles ont ajusté leurs lunettes — Hermine est myope — et contemplent avec une curiosité d'archéologues ce qui est inscrit sur le manche d'un vieil éventail défraîchi et à demi cassé. « Mais je le reconnais, se dit Mélanie, c'est celui que notre grand-mère tient à la main sur son portrait... Je ne savais pas que Papa l'avait glissé au fond du tiroir, derrière l'argenterie. »

— Combien, Maître ? finit par s'enquérir Yolande en quittant des yeux sa trouvaille.

— Quinze francs, madame, répond Mᵉ Gaurin de sa voix la plus neutre.

Si elle pouvait raconter la scène à Georges ! Comme ils riraient ! Elle sait toutefois ce qu'il en dirait : « L'éventail peint sur le portrait de ta grand-mère est sans prix... Il est dans votre histoire à tous et à toutes comme le symbole de la beauté de votre aïeule, la femme sans laquelle vous ne seriez pas au monde. Regarde le portrait, on dirait qu'elle pressentait sa disparition précoce et qu'elle vous dit adieu du bout de cette pointe de dentelle noire. Quant à l'éventail qui a servi de modèle au peintre, il est comme le corps de sa propriétaire : détruit. Tu as bien entendu : ce débris ne vaut pas vingt francs... »

Pourquoi alors tant de fureur ?

« Mais c'est moi qu'elle inventorie ! se dit Mélanie dans une illumination subite. C'est moi que ma sœur voudrait forcer pour y chercher ce qu'elle me soupçonne perpétuellement de lui avoir volé ! »

Prise de frissons, elle referme le dernier bouton de sa blouse, croise les bras sur sa poitrine, se recule.

11

A peine Yolande avance-t-elle d'un pas qu'Hermine se hâte de faire le même pour demeurer contre sa mère. Ses lunettes, ses cheveux tirés, sa jupe sage tendent à lui donner un air responsable — en fait, elle n'est encore qu'une petite fille. La conviction qu'en avait déjà Mélanie se renforce à la voir happée par le sillage maternel, n'osant lever le nez de ses papiers dans la crainte d'avoir à constater quelque chose qui pourrait perturber son credo : Maman a toujours raison !

Le notaire, qui a remarqué ce manège, souffle à Mélanie entre deux portes : « C'est la mère qui est butée ; la fille serait plus arrangeante. »

Reste que ce n'est pas elle l'héritière. Et qu'Hermine n'osera jamais contredire sa mère, quoi qu'elle puisse penser. Pense-t-elle, au demeurant.

Elle était si jolie à sa naissance, son petit visage chiffonné terré dans l'oreiller comme si elle refusait de voir le monde, ses poings roses constamment serrés.

« Tous les bébés sont comme ça, répétait Yolande qui n'avait pas voulu lui donner le sein. Ils ne deviennent intéressants que lorsqu'ils ouvrent les yeux et se mettent à parler. »

Le père, en revanche, se montra tout de suite en admiration devant son bébé-fille, la couvrant de baisers, de chatouillis. C'est à lui qu'Hermine dédia son premier sourire, tournant la tête et tentant d'accommoder son regard bleu marine lorsqu'elle entendait sa grosse voix dans la chambre.

« Elle le commence tôt, son complexe d'Œdipe, avait pensé Mélanie. Il est manifeste qu'elle préfère son père ! »

Est-ce de le constater qui détermina Yolande ? Soudain, l'enfant ne fut plus qu'à elle, personne n'avait le droit de la langer, la nourrir, la bercer. Elle la retirait subrepticement des bras de ceux qui s'en emparaient. Même quand c'était le père de l'enfant. Mélanie, bien sûr, pouvait à peine la toucher. Pour Yolande, Hermine était plus que son enfant, c'était sa chose, son bien.

Après la mort subite et regrettable de Marc, elle devint sa raison de vivre.

On dit de certains enfants trop gâtés qu'ils sont « pourris ». Pour Hermine, ce fut autre chose : Yolande la vida de substance. Plus exactement, elle ne lui permit pas de se constituer en être indépendant. La petite semblait un appendice de sa mère, morte d'angoisse dès qu'elle sortait de son orbite.

En est-elle malheureuse ? Mélanie ne parvient pas à le savoir. Enfant, elle avait « tout ce qu'il lui fallait » : le nécessaire, le superflu et l'inutile...

Et toujours raison. Contre tout et tous.

Les coupables, les agresseurs, c'étaient toujours les autres : professeurs, camarades, autres membres de la famille. Yolande défendait sa fille bec et ongles contre la moindre remarque ou critique, fût-elle constructive.

« Ce n'est plus de l'amour maternel, c'est de la rage », disait-on avant de s'écarter, laissant le couple mère/fille en tête à tête. Après tout, si elles se suffisaient l'une à l'autre...

Il n'y avait que Mélanie pour s'en inquiéter. Pourquoi Hermine, intelligente, douée, ne réussissait-elle pas dans ses études ? Bien sûr, à la moindre mauvaise note, Yolande la changeait d'établissement, dépensait des fortunes en répétiteurs, pour renvoyer ceux qui exprimaient une réserve sur la façon dont l'enfant était éduquée.

Ceux qui préconisaient une séparation, même temporaire, au moment des vacances, un petit séjour à l'étranger, se voyaient vilipender. Pour les abattre dans l'esprit de sa fille, Yolande était capable de férocité et même de calomnie : les malheureux contradicteurs étaient sales, inexacts, mal instruits, et, si cela ne suffisait pas, malhonnêtes... Avec ses airs de bourgeoise outragée, elle accusait ceux qu'elle voulait perdre d'avoir piqué de l'argent dans son sac. Allez prouver le contraire ! Sa parole contre la vôtre ! Là encore, les gens, outrés, blessés, se hâtaient de prendre leurs jambes à leur cou, laissant la petite Hermine à son innocente blancheur...

Les rares fois où Mélanie avait pu s'occuper de sa nièce, certains mois d'août, quelques week-ends, une sorte de lien s'était tissé entre elles, des vérités avaient pu être dites. Bien sûr, Mélanie ne se serait pas permis de critiquer Yolande devant sa fille qui, manquant déjà de père, en aurait trop souffert, mais elle tâchait d'évoquer ses vrais désirs, son avenir... De l'éveiller à elle-même.

Elle avait eu la surprise de voir le visage si pâle de la petite s'animer, ses yeux briller. Hermine avait murmuré, en baissant la voix, qu'en effet elle aurait aimé voyager, partir, être médecin humanitaire, peut-être diplomate... Puis elle s'était tue, mettant presque sa main devant sa bouche : qu'en penserait Maman ?

— Tu verras plus tard. Quand tu seras grande, tu feras ce que tu voudras..., lui avait dit Mélanie, ajoutant : Je suis là, je t'aiderai...

Mais Hermine n'était jamais devenue grande. Yolande avait fait en sorte de l'en empêcher.

Au nom de quoi le lui reprocher ? N'était-elle pas une femme parfaite ? Depuis la mort de son mari, elle s'était entièrement dévouée à sa fille. Et elle, on ne lui connaissait pas d'amant.

12

Les mois passant, Mélanie est obligée d'admettre qu'elle ne peut se retenir de téléphoner à Georges deux à trois fois par jour, du moins tant qu'il est à son bureau. Il lui a donné le numéro de sa ligne directe, mais, comme elle craint de le déranger, elle l'appelle de préférence aux heures creuses, s'étonnant parfois de le trouver encore là bien après sept heures du soir. Elle lui en a fait la remarque et, chaque fois, il lui a répondu : « C'est que j'attends ton appel avant de rentrer ! »

Il lui a aussi déclaré que, dès que lui vient une pensée nouvelle, ou qu'il assiste à une conversation, un spectacle intéressants, il a envie d'en discuter sur-le-champ avec elle. Il trouve douloureux d'avoir à attendre leur prochaine entrevue, toujours trop lointaine à son gré. Ou une communication téléphonique, forcément trop courte.

En même temps, n'est-il pas merveilleux d'avoir dans sa vie quelqu'un à qui on a envie de tout dire, avec qui on peut tout partager ?

Quand l'un des amants est marié, il arrive

pourtant que la conversation tourne court. Ceux que rien n'arrête sur le chemin de leur bon plaisir se mettent alors à revendiquer : « Et pourquoi tu ne t'en débarrasses pas ? On serait si heureux sans elle (ou lui) !... Tu vois bien qu'il (elle) nous gêne... »

S'il lui arrive de regretter que Georges ne soit pas libre, Mélanie ne se permet pas de l'exprimer. Cela ne servirait à rien. Ou plutôt, parler de l'entrave que représente sa vie conjugale risquerait de gâcher quelque chose en laissant entendre qu'un autre être vient se glisser entre eux deux. Qu'ils sont en somme séparés par un tiers !

Elle est trop fière de leur amour pour y consentir. Et s'il y a des empêchements à ce qu'ils soient ensemble tous les jours et toutes les nuits, elle veut n'y voir que des difficultés d'ordre objectif comme il en existe dans certains couples, même mariés, où l'on voyage pour ses affaires, réside ailleurs du fait de sa profession, ou pendant les guerres où l'on se trouve contraint à la séparation.

Eux ont déjà la chance de n'avoir pas à trembler pour la vie de l'autre. Le reste, à tout prendre, est insignifiant.

Depuis qu'elle-même a divorcé d'avec Hubert, c'est plus difficile pour Georges que pour elle car lui doit mentir.

Un jour, en la rejoignant au restaurant, Georges, qui courbe sa haute silhouette pour ne pas se heurter aux poutres du petit établissement du 6e arrondissement où ils se retrouvent le plus fréquemment, vient à elle, les mains dans les poches, cravate au vent, sourire aux lèvres : « Eh bien, voilà, elle sait ! »

Mélanie comprend aussitôt. Attendait-elle cet instant sans se l'être avoué ? Toutefois, elle l'interroge du regard.

— Marie-Louise a reçu une lettre anonyme...

— Mais de qui ?

— Quelqu'un qui a peut-être voulu nous rendre service en révélant ce que je n'avais pas le courage d'avouer !

Georges s'assoit face à Mélanie, déplie sa serviette, continue à raconter avec une gaieté qui paraît factice, vu la situation.

— Elle me l'a montrée, je l'ai lue. On y écrit qu'il y a une autre femme dans ma vie, que je la rencontre régulièrement dans des hôtels, des restaurants, chez elle depuis qu'elle est divorcée... Elle m'a demandé si c'était vrai.

Georges se sert du vin du carafon que la serveuse dépose sur leur table dès qu'elle les voit arriver ; il boit son verre d'un trait. Mélanie attend la suite, la gorge nouée, mais sans impatience. Elle sent que cet homme a besoin de formuler en détail, pour elle mais surtout pour lui-même, ce qui vient de se produire.

— Quand Marie-Louise m'a demandé si c'était vrai, j'ai répondu que oui, ça l'était. Alors elle a ajouté : « Tu l'aimes ? » J'ai dit : « Oui. » Elle m'a demandé : « Plus que moi ? » J'ai répondu : « C'est différent. » Elle est restée silencieuse un moment, s'est assise, puis a repris : « Tu as envie de vivre avec elle ? »

Georges se tait et Mélanie s'arrête de respirer. Tout s'est donc joué en dehors d'elle !

Georges prend un morceau de pain, le brise en deux d'une seule main, puis le repose sur la table et avance la même main pour saisir celle de Mélanie.

— J'ai répondu que oui.

Le cœur de Mélanie, cette fois, bat très vite.

— Alors elle a dit : « Eh bien, nous allons divorcer... »

Il la fixe droit dans les yeux maintenant que le passage difficile est franchi.

— Verse-moi à boire, murmure Mélanie.

Elle ne va pas lui sauter au cou ni le féliciter, un divorce n'est pas un événement heureux, jamais. Quel que doive en être le résultat. Une certitude s'installe : elle va être responsable de cet homme. Au fond, c'est de cela qu'il s'agit. Une autre femme, sans la connaître, le lui a transmis.

— Tu ne m'en veux pas ? interroge soudain Georges.

C'est bien une phrase d'homme ! Il se sent coupable, il ne sait trop de quoi, mais, à tout hasard, il a besoin que la femme qu'il aime lui pardonne.

— Tu as été magnifique !

— Cela n'a pas été bien difficile ! dit-il d'un ton modeste, tout en se redressant. Marie-Louise s'est très bien conduite, elle n'a pas fait de scène... J'ai d'ailleurs l'intention d'arranger au mieux nos affaires, je veux dire : en sa faveur. Je vais quitter la maison le plus vite possible, je n'emporterai rien, tout est pour elle et les enfants. Quant à la pension...

« Est-il nécessaire que je sache tout ça ? » se demande Mélanie.

Mais il a besoin de le lui dire. Il lui faut se montrer valeureux, à ses yeux à elle comme aux siens propres.

Autant débrider jusqu'au bout, puisque c'est commencé :

— Et les enfants ?

— Marie-Louise va les prévenir. Moi, je leur parlerai ce soir.

— Mon cher amour...

C'est elle, maintenant, qui lui prend la main. Comme elle l'aime !

Pourvu que cela lui suffise ! Son compagnon répond d'une pression des doigts ; il a les yeux tournés dans sa direction, toutefois son regard la traverse : « Il va falloir organiser l'avenir », murmure-t-il.

Cela veut dire : s'occuper de ce qui est en train de devenir du passé. Normal. C'est demain qu'ils parleront de leur vie commune. Ou après-demain.

Si cela s'est bien passé entre elle et Hubert, c'est qu'ils n'avaient pas d'enfants. Hubert envisageait-il d'en avoir avec une autre femme, l'a-t-il trouvée ? D'un commun accord, ils n'abordèrent pas le sujet, se contentant de se faciliter mutuellement la reprise de leur liberté.

Comme Hubert séjournait en Afrique, hormis une brève entrevue chez le juge de conciliation, tout se régla par l'intermédiaire des avocats. Mélanie conserve l'appartement parisien qu'elle a loué et compte abandonner si elle doit refaire sa vie.

La refait-on vraiment ? Un divorce, c'est comme une amputation. L'intégrité première manquera toujours.

Ce qui parfois rend plus humain.

13

Yolande mariée, Mélanie la vit moins souvent et une curieuse pensée se mit à l'obséder : « Elle est la seule personne pour laquelle je lâcherais tout dans l'instant... » Eût-elle su sa sœur en difficulté, à l'époque, qu'elle aurait sûrement sauté dans une voiture, un train, un avion, pour la rejoindre aussitôt.

Quand cela a-t-il changé ? se demande-t-elle tandis que Yolande, suivie d'Hermine, procède de pièce en pièce, se tournant successivement vers un mur, puis l'autre, toisant chaque meuble, tentant de l'ouvrir, parfois sans succès.

— Où est la clé ? jette-t-elle, indignée.

Chercherait-on à lui dissimuler quelque chose ?

— Il n'est pas fermé, répond Mélanie, mais la poignée joue dans l'autre sens.

— Bizarre !

Et Yolande poursuit sa traque, nullement gênée de se montrer si peu familière d'un mobilier qu'elle revendique.

De temps à autre, elle se laisse tomber sur

une chaise, sans la considérer, celle-là, soi-disant pour mettre sa liste à jour ; en fait, pense Yolande, pour reprendre souffle.

Elle trouve sa sœur fatiguée, voudrait qu'elle se repose, peut-être mange, boive un peu. Mais toute proposition de sa part serait malvenue.

— Surtout, n'intervenez pas, lui a enjoint le notaire de Paris. Cela ralentirait encore.

Pourtant, Mélanie ne peut s'empêcher de s'inquiéter de la lassitude de sa sœur, de sa crispation aussi.

— Ce doit être cela, la fusion, se dit-elle : on reste viscéralement lié à quelqu'un, malgré tout.

Elle en retirait autrefois un sentiment poignant : il y avait de par le monde un être plus fragile qu'elle à protéger. Sa petite sœur.

Quand cela s'est-il gâché ?

Les deux sœurs se sont toujours peu parlé, comme si elles communiquaient autrement, et Mélanie n'avait jamais songé à dire à Yolande combien elle l'aimait. N'ayant pas d'enfants, c'est tout naturellement et sans le lui faire savoir qu'elle avait, par testament, légué ses biens mobiliers à Yolande. Du moins du temps où, mariée à Hubert, ils avaient fait devant notaire un arrangement successoral au dernier vivant : si l'un d'eux venait à mourir, l'autre se retrouverait en possession de tout, moins ce que chacun avait tenu à léguer à quelque tiers. Elle, c'était à Yolande.

En premier, ses bijoux. Yolande les convoitait depuis toujours. Souvent, Mélanie avait surpris le regard de sa sœur sur sa bague de Boivin, le double anneau d'or enserrant trois diamants que lui avait offert Stanley au début de leur liaison.

Maintenant qu'elle y repense, jamais elle n'a proposé à sa sœur de l'essayer. Yolande a toujours eu les doigts plus gros qu'elle et n'aurait pu enfiler l'anneau. Mais un bijoutier pouvait l'ajuster et...

Mélanie se secoue : cela la reprend donc ? A intervalles réguliers, il lui arrivait de se demander où Yolande mettrait ses meubles quand ils seraient à elle — ainsi la jolie petite commode marquetée qui vient de leur mère ! Elle se la représentait aussi dans son vison noir, la bague de Boivin au doigt. Enfin satisfaite, peut-être reconnaissante...

Ces fantasmes étaient morbides ! Si elle tenait à combler sa sœur, elle n'avait qu'à lui donner tout de suite ce qu'elle entendait lui léguer.

Pour l'heure, son testament n'est pas en sa faveur, mais en celle de Georges. S'il ne réapparaît pas, alors son héritière légale redeviendra automatiquement Yolande, elle n'a nul besoin de le préciser.

Mais qu'est-ce qu'elle a à se voir morte ?

La pensée lui vient que c'est la convoitise de Yolande qui lui pèse. D'autant qu'elle persévère.

Sa sœur semble occupée à dénombrer tableaux et gravures, pointant sur sa liste ce qu'elle trouve ou ne retrouve pas, et Mélanie, avançant la main, surprend à nouveau son regard sur sa bague !

Pourtant, Marc a offert à Yolande quelques beaux bijoux, pour leur mariage : les trois rangs de perles thé qui lui venaient de sa mère, peut-être un peu jaunes, mais qui font de l'effet, et le clip de Van Cleef et Arpels, un anneau rond qui redevient à la mode.

Yolande n'a jamais paru leur accorder d'importance ; d'ailleurs, elle ne les porte pas : c'est ce qui est à Mélanie qui l'excite.

Toutes deux sont côte à côte dans le couloir mal éclairé. « Lequel est le tableau au rocher ? » a demandé Yolande, obligeant le notaire et le commissaire-priseur à ajuster leurs lunettes et à se pencher vers les toiles noircies par le temps.

Yolande doit avoir deviné que Mélanie a surpris son regard sur sa bague. Elle rosit légèrement et décoche à sa sœur un coup d'œil que celle-ci reçoit en plein cœur, tant il est hostile.

« Mais qu'est-ce qu'elle a contre moi ? se demande Mélanie. Elle est tout aussi nantie, et même mieux, elle touche la pension de Marc alors que je suis obligée de faire des traductions pour y arriver. En plus, elle a une fille, elle peut encore espérer être grand-mère. Moi, je suis seule. »

— Le rocher, c'est ce tableau-là ! s'écrie Hermine d'un ton strident.

Chœur des officiers de justice : « En effet, c'est sûrement lui. »

L'estimation tombe :

— Trois mille francs.

— Rien que le cadre vaut déjà ça, lance Yolande d'une voix coupante.

— Il est entièrement à restaurer, madame, indique le commissaire-priseur qui fait autorité en la matière. Voyez, c'est du plâtre, non du bois sculpté, et plusieurs moulures sont détachées.

Yolande grommelle et consulte à nouveau sa liste :

— Je vois là une aquarelle, où est-elle ?

Une voix murmure quelque chose dans leur dos. C'est Violette :

— Peut-être bien dans les cabinets du premier...

Mélanie est prise d'une légère envie de rire. La première depuis le matin... C'est vrai que leur père, dont les goûts étaient plus sentimentaux qu'artistiques, accrochait en bonne place les œuvres de ses amis, de vrais navets, pour reléguer dans le débarras ou aux cabinets ce qui ne représentait rien pour lui, quelle qu'en fût la valeur réelle.

— Papa, je t'aime, se dit Mélanie.

C'était ce qui l'avait lié à cet homme : il ne suivait que son cœur. Certains taxaient d'égoïsme cette propension à écouter par priorité ce que lui dictaient ses élans, alors qu'il s'agissait d'une franche liberté.

Ce qui ne l'empêchait pas d'avoir toute sa vie ménagé ses sous : par « avarice », protestaient les grognons. Le plus longtemps possible, Édouard avait voyagé en métro plutôt qu'en taxi, en dépit de tous les abonnements que lui avait procurés Mélanie, inquiète de le savoir seul dans ces transports de moins en moins sûrs. Il s'y était d'ailleurs fait voler son porte-feuille, extrait sans difficulté de la poche arrière de son pantalon.

— Mais j'avais mon imperméable par-des-sus !

— Papa, voyons, tu es un enfant !

L'innocence des vieilles gens, c'était ce qui fendait le cœur de Mélanie. L'innocence en général... Tant que Yolande lui avait paru confiante, candide, Mélanie se serait fait cou-per en morceaux pour elle. Comme pour son père, les derniers temps, qu'elle protégeait contre tous les ennuis, les déceptions, les abus de pouvoir d'autrui, dont celui des médecins quand il le fallait. Afin que, tout dépendant qu'il fût devenu, le vieillard pût jusqu'au bout rester ce qu'il avait voulu être : un homme libre.

— Où est-ce que Papa rangeait ses carnets de chèques ?

— Dans le tiroir de son bureau, pourquoi ?

— J'ai demandé ses relevés bancaires sur deux ans. J'ai l'intention de les vérifier.

Prise d'un haut-le-cœur, Mélanie entraîne Me Gaurin à part :

— Elle a le droit de faire ça ?

— Oui, madame.

— Mais cela sert à quoi ?

Le notaire hausse les épaules :

— Votre sœur s'imagine peut-être que votre

père a fait des dons d'argent à des tiers avant de mourir.

— D'abord, mon père ne s'attendait pas à mourir ; et puis, cela n'était pas son genre : pour lui, la loi était la loi, il avait deux héritières, c'est tout. Même sa petite-fille n'était pas à ses yeux une héritière, si ce n'est à travers sa mère ; il ne lui a rien laissé directement. Et quand ça serait, n'avait-il pas le droit de faire ce qu'il voulait de ses biens ? Il les avait gagnés... Une si longue vie de travail !

Le notaire se contente de lui rappeler la loi :

— Les enfants sont prioritaires, mais un testateur peut faire ce qu'il veut de la quote-faire disponible : un tiers des biens, à condition d'acquitter les droits de succession d'autant plus élevés que le lien familial est lointain ou inexistant.

Le reste n'est pas son affaire. Si un héritier s'escrime à gratter la paillasse sur laquelle est mort celui dont il hérite, peu lui chaut, à lui notaire. Cela retarde le règlement, c'est tout.

« Mais que cherche-t-elle ? se demande Mélanie en se tordant les mains. Papa est mort, plus rien ne l'affecte... C'est moi qu'elle ennuie, et même torture ! Pourquoi ? Que lui ai-je fait ? »

Yolande est maintenant en arrêt devant la pendule de bronze de l'arrière-grand-père, représentant la Justice, qui trône depuis toujours sur la cheminée de la grande chambre. Édouard l'entretenait avec amour, ne laissant à personne le soin dominical de la remonter.

« Tu vois, disait-il à Mélanie, elle ne fonctionne que si elle repose complètement à plat... C'est pourquoi j'ai glissé ce petit bout de carton sous son pied droit. Autrement, le balancier n'avance pas, car la cheminée penche, comme d'ailleurs le plancher... »

— Tiens, elle ne marche pas ! grogne Yolande en donnant un coup de main — de patte — à la pendule immobile.

En fait, personne n'a osé la remonter. Son cœur de métal s'est arrêté le dimanche qui a suivi la mort d'Édouard.

14

Édouard était de cette génération, de cette communauté d'esprit où l'on tenait à afficher que l'on ne fait aucune différence entre ses enfants. Moins par sens de l'équité que pour proclamer à quel point l'on est moral. « En somme, se dit Mélanie, pour se valoriser soi-même ! »

Car c'est faux : tous les parents font une différence entre leurs enfants, souvent au profit du plus chétif. Du raté. De celui dont il n'y a rien à attendre de bon. Contrairement aux femelles animales qui écartent d'un coup de dents ou de sabot le plus faiblard de leur nichée, l'espèce humaine a un faible pour celui d'entre les siens qui souffre de quelque handicap. Que d'amour répandu — Mélanie ne disait pas *perdu* — sur le souffreteux, le fainéant, le drogué, le repris de justice...

Elle se souvenait de sa mère, encore là, lui disant après qu'elle eut obtenu une excellente note en rédaction : « Toi, tu as ton talent, tu n'as pas besoin de nous ! » Si elle avait blessé sa fille — ô combien ! —, elle n'en avait pas moins dit la vérité : les parents ont une sorte de recul devant celui « qui n'a pas besoin d'eux ». A leurs yeux, cette capacité d'indépendance constitue un tort : à quoi sont-ils bons face à ces enfants qui tracent leur chemin comme l'éclair et qui iront plus loin qu'eux ?

Il est évident qu'Édouard, comme autrefois sa femme, avait pour sa cadette quelque chose qui n'était pas tout à fait une préférence, mais sûrement une inclination allant jusqu'à l'indulgence.

Mélanie, du fait même qu'elle était l'aînée, se révéla en avance sur sa sœur. Plut facilement. Yolande, non. Reste qu'elle ne faisait rien pour ça. Mélanie s'exprimait avec aisance. Yolande se confinait dans le mutisme, plus tard dans la dissimulation, voire le mensonge.

Des astrologues dirent à Mélanie : « C'est normal que vous entriez facilement en contact avec autrui, vous avez beaucoup de planètes d'air dans votre signe, et le milieu de votre thème est en Gémeaux... Ce qui facilite la communication. » Quand elle leur eut fourni — pour voir — les coordonnées de naissance de sa sœur, ils s'exclamèrent : « La pauvre, elle n'a pas d'air du tout, à peine d'eau, rien que du feu et de la terre ! Elle doit avoir bien du mal à extérioriser la violence qui la consume... » Et de s'attendrir sur le sort de la mal lotie ! De proposer de la voir pour tenter de la tirer de là, au point que Mélanie se demandait si c'était elle qui payait la consultation ou bien sa sœur !

Ailleurs aussi, tout le monde s'émouvait sur

le cas de Yolande qui rencontrait, la pauvre chérie, tant de difficultés sinon des échecs.

A commencer par Mélanie elle-même : longtemps, elle ignora la rivalité qui l'opposait à sa sœur, ne songeant qu'à l'aider, la promouvoir, la pousser en avant. Avec quelle délectation elle disait « ma sœur » ! « Ma sœur a fait ci, ma sœur est comme ça... » Voire même : « ma *petite* sœur ».

Quand cela commença à tourner à l'aigre entre elles, Mélanie fit un retour sur soi et se jugea coupable de dépeindre Yolande comme sa « petite sœur » : n'était-ce pas prendre du pouvoir sur elle ? se définir comme supérieure ? En quoi l'était-elle, alors que sa vie sentimentale n'était qu'une série d'échecs ? qu'elle n'avait pas d'enfants ? Pour qui se prenait-elle ? Normal que Yolande s'en affectât.

Mais ce qui irrita Mélanie, sur le tard, c'est l'indulgence sans bornes que manifestait Édouard vis-à-vis de sa fille cadette et de sa petite-fille, sentiment renforcé par le fait qu'il les voyait rarement et se sentait « en manque » à leur égard.

C'était Mélanie, assistée de Violette, qui s'occupait quotidiennement de lui, de son bien-être, de ses soins corporels et médicaux, tandis que Yolande et Hermine ne lui rendaient que des visites de politesse. Aussi ne le voyaient-elles jamais défait, Violette l'ayant fait « beau » pour leur arrivée.

Parfois, elles lui écrivaient, ce dont le vieil homme retirait un bonheur proche du ravissement. « Regarde, ta sœur m'a écrit ! Lis ! » disait-il en tendant à Mélanie une missive où celle-ci ne voyait que clichés et formules dilatoires : on a fait ci, on a fait ça, il fait beau, on ne sait pas encore quand on viendra te voir...

Elle se rappela la parabole du retour du fils prodigue, traité dès lors comme le plus chéri des enfants du père. Il en est toujours ainsi avec les parents. L'enfant qui vit à leurs côtés et prend soin d'eux fait partie des meubles. C'est l'absent qui devient l'objet du plus vif de leur tendresse...

— Quelle injustice ! marmonnait parfois Mélanie. Je fais tout pour lui, je me sacrifie, et...

Aussitôt, elle se tançait : le mot *sacrifice* ne convenait pas. Ce qu'elle faisait pour Édouard, c'est parce qu'elle le voulait bien. Parce qu'elle l'aimait. L'amour doit se suffire à lui-même.

Comme elle avait de l'orgueil, elle s'astreignit à « aimer » les rapports de son père avec Yolande, à les encourager, à s'en réjouir à son tour. Allant jusqu'à téléphoner à sa sœur : « Papa est un peu triste, il y a longtemps qu'il n'a pas eu de nouvelles de toi et d'Hermine. Manifeste-toi, mais, surtout, ne lui dis pas que je t'ai appelée... »

Bonne et généreuse, Mélanie ?

Elle n'aimait pas voir son père déprimé, ce qui la déprimait elle aussi. Et puis, elle n'avait pas à comparer la relation qu'elle avait avec son père à celle qu'il entretenait avec son autre fille.

Là encore, comme au temps de la Bible, il y avait Marthe et Marie. Mélanie estimait qu'elle était Marthe. Or, en dépit de ses plaintes et de sa jalousie envers Marie que le Seigneur garde à ses pieds, tout près de lui, Marthe n'est pas moins aimée...

Et Yolande, que pensait-elle du couple de plus en plus intime que Mélanie formait avec Édouard depuis que le vieil homme était entré dans une semi-dépendance ?

Mélanie aurait pu s'en douter : Yolande était profondément jalouse. Bien que, pour rien au monde, elle n'eût consenti à être à sa place... Elle préférait Paris, la vie confite qu'elle y menait avec Hermine !

Alors, qu'aurait-elle voulu ?

Que sa sœur n'existât pas ?

Dans ce cas, que serait devenu Édouard ? Yolande avait souvent parlé de le mettre dans une maison de retraite, et même cherché des adresses. « Ce serait plus simple pour tout le monde... »

Ce qu'elle aurait fait sans aucun doute s'il n'y avait eu Mélanie.

Ce qu'Édouard savait.

15

« Tiens, dit soudain Yolande comme si elle se parlait à elle-même, je ne retrouve pas le grand vase de Chine qui fait lampe... Et la table de jeu ? »

Mélanie va pour s'exclamer : « Mais tu sais bien que c'est toi qui les as pris ! », quand elle se rappelle que le notaire parisien, au cours du premier inventaire, l'a priée de n'en rien dire.

Hermine qui, sur ce point précis, ne peut manquer de savoir que sa mère est en plein mensonge, pique du nez sur sa liste, visage invisible.

Il faut dire que le coup est gros — même si, dans bien des successions, il en est de pires : le notaire lui en a raconté d'autres...

Tout est parti d'un trousseau de clés, ces indispensables petits démons qu'on peut croire, à certains moments, doués d'une volonté propre !

Édouard, dans l'idée que son entourage ne pouvait qu'être à sa dévotion — conviction qui lui avait souvent réussi — aimait à répartir les tâches sans prévenir l'un qu'il avait déjà demandé le même service à l'autre. Violette et Mélanie s'étaient souvent retrouvées au coude à coude face au vieux monsieur, brandissant le carnet de timbres ou le médicament qu'il leur avait demandé à toutes deux en même temps d'aller lui quérir d'urgence...

Alors que Mélanie était officiellement en charge de son déménagement parisien, il n'avait pas non plus hésité à expédier son propre trousseau de clés à Yolande, la priant d'aller chercher dans son appartement des dossiers dont il avait besoin. Sans en aviser Mélanie.

Plus tard, celle-ci avait retrouvé dans son sous-main le brouillon de lettres expédiées à Yolande, réclamant instamment le retour des clés — qui n'avait jamais eu lieu. Dans sa dernière réponse, comptant sur une défaillance de mémoire de son vieux père, Yolande avait même poussé le culot jusqu'à prétendre l'avoir fait.

Lugubre mensonge !

Après le décès — l'appartement devant être rendu à son propriétaire —, Yolande, qui adorait la procédure, requit et obtint l'apposition des scellés avant un ultime inventaire des pauvres restes. (« Si j'avais su qu'il ne s'agissait que de ça, déclara plus tard son notaire, contraint, je n'aurais pas demandé la mise sous scellés ! »)

Ce reliquat était composé de vieux papiers, tapis mités, batterie de cuisine cabossée, meubles en Formica jaunis, écaillés, sièges défoncés, chaussures éculées, vêtements hors d'âge. Sans compter un tas de cartons vides et d'immondices — il n'y avait pas d'autre mot —, dont Mélanie dut payer cher l'enlèvement par une maison de débarras.

Pour lever les scellés, Mélanie découvrit qu'il fallait requérir l'office d'un greffier et de son aide, lesquels vinrent donc s'ajouter à son notaire, à celui de Yolande, à deux commissaires-priseurs (un pour chacune), enfin aux deux sœurs et à Hermine.

Ce joli monde, en tout neuf personnes, n'avait pas plus tôt pénétré dans l'appartement aux trois quarts dévasté que Yolande s'exclama :

— Mais il manque la lampe chinoise, la table de jeu, ainsi qu'une céramique !... Où cela se trouve-t-il, puisque ce n'est pas sur l'inventaire du premier déménagement ?

La rapidité de sa réaction — Yolande n'avait pas pris le temps de faire le tour des pièces — mit la puce à l'oreille de Mélanie. Les objets, elle le constata elle aussi, avaient effectivement disparu, ce qui signifiait que quelqu'un était passé pour s'en emparer avant l'apposition des scellés...

Mélanie était en train de se remémorer le nombre de trousseaux de clés et leurs détenteurs quand un cri déchira l'air : « Police, police, il faut appeler la police, nous avons été volées ! »

C'était Hermine, en proie à une sorte de crise de nerfs.

Sincère ou mimée ?

La suite des événements prouva à Mélanie — déjà à moitié convaincue — qu'il ne s'agissait là que d'une comédie, les objets volatilisés devant se retrouver plus tard, aux dires de témoins de bonne foi, les uns chez la mère, les autres chez la fille.

Mais qu'avait-il pu se passer dans la tête des deux femmes pour qu'elles n'eussent pas hésité à soustraire à la succession ce que Mélanie leur aurait volontiers donné sur sa part d'héritage, si seulement elles le lui avaient demandé ?

C'était cela qui clochait : elles préféraient mentir, passer pour folles, porter plainte contre X, plutôt qu'avoir à demander quoi que ce soit à Mélanie. Elles voulaient tout posséder, obtenir le plus possible, mais sans contrepartie aucune.

Aux cris d'Hermine, le greffier (une femme), son aide, les commissaires-priseurs, le notaire de Yolande s'étaient entre-regardés d'un air inquiet. L'opération qu'on croyait facile, vu le peu qui restait, allait-elle se révéler complexe ? Avec vol à la clé ?

Ce fut le notaire de Mélanie qui mit fin au scandale. Il avait dû en voir d'autres, et le « genre » de Yolande et d'Hermine était loin de lui être étranger : « Madame, quand nous serons partis, vous appellerez qui vous voudrez. Nous, nous sommes là pour une opération précise : un inventaire, et nous allons y procéder sur-le-champ. »

Il s'assit devant la seule table restante, une table de bridge, et déplia ses papiers : « On commence ? »

Mélanie, les jambes coupées par le cri de sa nièce, s'était laissée tomber sur le canapé crevé. Devant la mine déconfite des deux femmes et le calme immédiat qui suivit la déclaration de l'officier de justice, elle fut prise d'une crise de fou rire qu'elle fit mine d'étouffer dans un mouchoir, comme si la poussière et les acariens étaient responsables de cet accès.

Plus tard, elle prit son notaire parisien dans un coin :

— C'est sûrement Yolande qui a enlevé ce qui manque. Elle est en possession du double des clés de mon père, même si elle l'a nié tout à l'heure... Faut-il que j'en fasse état ?

— Certainement pas, répliqua le notaire. Sinon, nous serons encore là demain pour trois menues babioles, et elle en sera ravie... Vous n'avez donc pas compris que votre sœur ne cherche qu'à vous embêter ?

— Mais pourquoi ? protesta Yolande.

Le notaire sourit — il était jeune, pas loin d'être charmant — et la prit sous le bras : « Parce que vous êtes plus jolie qu'elle... »

C'était une façon courtoise de ne pas répondre.

Yolande continua donc à se poser des questions : pourquoi son unique sœur tant aimée se livrait-elle à des manèges indignes d'elle ? (Et Hermine, était-elle complice ou dupe ?) Dans

quel but ? Sûrement pas par intérêt bien cal-
culé : tout ce cirque — scellés, greffiers,
commissaires-priseurs, notaires — allait coû-
ter un tonnerre d'argent, diminuant d'autant le
montant à partager.

Sous le coup du chagrin, meurtrie par l'indécence qu'il y avait à fouiller si vite dans les
affaires de leur père, Mélanie ne réfléchissait
pas correctement. Elle aurait mieux fait de se
demander : de quoi Yolande souffre-t-elle ?

16

« Un divorce, cela ressemble à un déménagement ou à une succession, avait pensé Mélanie,
témoin malgré elle de celui de Georges. Tout
est en l'air, aussi bien les meubles, les papiers
que les sentiments... »

Quant aux protagonistes, ils sont si boule-
versés, à la façon d'un champ retourné par le
soc d'une charrue, qu'il vaut mieux ne pas
prendre à la lettre ce qu'ils disent : le lendemain, c'est démenti.

« Je devrais m'en aller, se disait-elle parfois,
et ne revenir que lorsqu'ils auront réglé leurs
affaires, que Georges n'aura plus à y penser,
qu'il sera enfin tout à moi. Et à lui-même. »

Mais Georges n'avait plus de famille, ses
parents étaient morts, il était fils unique. A
moins d'aller se confier à de lointains cousins
avec lesquels il entretenait des relations plutôt
distantes, ne fût-ce que parce qu'il avait mieux
réussi socialement qu'eux, il n'avait que Mélanie. Il n'aurait pas compris qu'elle le lâchât en
ce moment particulier. Il aurait pris le
moindre recul pour une désertion. Quant à

s'absenter — au début, elle avait songé à partir quelque temps pour laisser les choses se faire sans elle —, elle y avait renoncé.

Georges avait encore plus besoin de sa présence dans la mesure même où il perdait définitivement celle de sa femme — qu'il prétendait ne plus désirer — et aussi son habitat. Cet appartement du 17e arrondissement où il avait ses habitudes, ses objets personnels et surtout ses enfants. Ils étaient nés là, ou presque. L'appartement était leur tanière et ils étaient trop petits pour essaimer. C'est lui qui devait partir. Lui, le père, l'élément fort, dont les deux garçons avaient encore besoin.

On peut expliquer à une femme qu'on en aime une autre, mais à des enfants ? « Encore heureux que nous n'en ayons pas ensemble », s'était surprise à penser Mélanie.

Elle qui en avait tant désiré et qui, ces derniers temps, aurait voulu en avoir un de Georges, voilà qu'elle se réjouissait d'en être privée.

C'est qu'elle souffrait du carnage que représente la fin d'un couple. C'en était un, elle le voyait à la tête de Georges, creusée aux joues, les mâchoires si serrées qu'elles en paraissaient protubérantes. Il avait le geste plus sec, tournant parfois court. Il lui arrivait aussi de refaire deux fois la même chose, vérifiant s'il avait bien emporté son porte-documents, enclenché l'alarme...

Au début, il préféra habiter l'hôtel :

— Les enfants ont besoin de savoir où je

suis, c'est la psychologue qui nous l'a recommandé, et, pour cela, il faut qu'ils viennent voir où j'habite et puissent me téléphoner quand ils le veulent.

— Ils auraient pu faire cela chez moi, avait protesté Mélanie, tu le sais bien !

— Oui, mon amour, tu n'as pas besoin de le dire. Mais ils auraient pris conscience de ton existence, même si tu n'avais pas été là lors de leurs premières visites. Découvrir en même temps que leur père n'est plus avec eux et que leur mère est remplacée, c'est trop à la fois !

— Remplacée ?

— C'est ainsi que le voient les enfants, paraît-il. Alors ils se posent des questions : « Maman était donc insuffisante pour Papa ? Ou est-ce Papa qui est un lâcheur ?... »

— Simon et Michel ont huit et dix ans. Affectivement, ce sont pratiquement des grands. Il faut leur dire que ce qui se passe entre leurs parents ne les concerne pas, que vous les aimez tout autant, qu'un jour ils feront leur vie, eux aussi. Maintenant, il s'agit de la vôtre. Vous vous êtes rencontrés et aimés, Marie-Louise et toi, pour les mettre au monde ; c'est fait. A présent...

— Ça, c'est la théorie, avait murmuré Georges. Dans la pratique, si tu avais vu leurs yeux posés sur mes valises...

— Pourquoi les as-tu faites devant eux ?

— Il paraît que cela vaut mieux que si j'étais parti à la sauvette... Ils ont pu constater par eux-mêmes que si je ne me trouve plus là, je ne suis pas mort pour autant, je n'ai pas disparu : je suis allé habiter ailleurs, pas très loin...

— Ils s'y feront !

Et lui, allait-il s'y faire ?

Les enfants, c'était un gros morceau. Il y avait aussi les objets. Georges avait déclaré qu'il n'emporterait rien ; toutefois, il tenait à son bureau aux appliques en bronze, qui lui venait de son grand-père, et à son fauteuil d'étudiant que son père lui avait acheté quai Voltaire, il s'en souvenait encore : « Tu dois être assis pour étudier, lui avait-il dit, mais, dans la vie, sois toujours un homme debout ! »

Il avait répété la formule à Mélanie avec des larmes dans la voix. Elle n'avait d'abord su que dire, puis c'était venu :

— C'est à tes fils que tu dois raconter ça, ils sont bien assez grands pour comprendre. Tu ajoutes que les meubles sont maintenant sous leur garde : un dépôt familial. Plus tard, ils décideront comment se les partager.

— Tu as raison, avait dit Georges avec l'un de ses chauds sourires, devenus rares ces temps-ci. Heureusement que je t'ai !

Mélanie l'avait embrassé, pensant par-devers elle que si elle n'avait pas été là, Georges n'aurait pas songé à divorcer. L'un découlait de l'autre !

Mais cet homme si intelligent perdait toute logique dans les rets du monde affectif. En fait, face à la souffrance féminine...

Le plus dur, c'était Marie-Louise.

Si elle avait été « parfaite », « magnifique »,

le jour de la révélation et de son acceptation du divorce, ce stoïcisme ne s'était pas maintenu.

Mélanie s'était d'ailleurs demandé si ce n'était pas l'orgueil qui l'avait poussée à se montrer si magnanime, sur le coup.

D'autres sentiments s'étaient manifestés depuis lors. D'abord la jalousie. Un jour que Mélanie, très friande de parfum, s'inondait de son jus favori, Georges avait posé sa main sur son bras avec un drôle de sourire :

— N'en mets pas trop, s'il te plaît...

— Je croyais que tu l'appréciais ? s'était-elle étonnée.

— Moi oui, mais pas Marie-Louise ! Imagine-toi qu'elle a pris ton parfum en grippe, elle prétend qu'il lui donne la nausée...

Ensuite avaient surgi les questions, et Mélanie était convaincue que Georges ne lui en rapportait qu'une partie. Même à contrecœur, il ne pouvait s'empêcher de revenir sur ce tarabustement que Marie-Louise lui faisait subir au sujet de Mélanie : Où vivait-elle ? Comment c'était, chez elle ? A quoi ressemblait-elle ? « Tu as bien une photo, montre-la moi, cela me fera plaisir de voir par qui je suis remplacée ! Tiens, elle n'est pas mal, nous aurions pu être amies ! Son genre me plaît, mais elle n'est plus toute jeune, tu aurais pu faire mieux ! »

L'illogisme du comportement féminin se révélait déconcertant pour un homme qui, dans son métier, aimait prendre un dossier, l'étudier, le régler de la façon la plus rapide et la plus précise possible.

Là, il avait le sentiment d'avancer puis, l'instant d'après, de reculer. Il y avait eu la nuit terrible où Marie-Louise, qui avait bu, ce qui chez elle était exceptionnel, s'était traînée à ses pieds en l'implorant : « Ne t'en va pas, je ne veux pas rester seule ! Tu pourras la voir autant que tu voudras... Elle peut même venir habiter chez nous, si cela te fait plaisir... J'expliquerai aux enfants que c'est une cousine... »

— Elle était folle, conclut Georges en confessant péniblement la scène à Mélanie.

— Oui, folle de peur.

— De quoi ?

— De rester seule. Elle préférerait encore que je sois là, que nous soyons deux, toi et moi, à lui tenir la main.

— Cela me dépasse ! avait soupiré Georges.

Qu'est-ce qu'un homme peut comprendre à la terreur viscérale qu'ont les femmes de demeurer seules à la maison, sans quelqu'un pour qui vivre, se lever le matin, s'habiller, avec qui se disputer ?

— Mais elle a les enfants !

— Cela n'est pas la même chose...

— Moi, j'ai l'impression d'en avoir trois, en ce moment... Marie-Louise se conduit comme une gosse !

Il lui avait coulé un regard en biais avant d'ajouter : « Mais ne t'inquiète pas, je tiens bon ! »

Mélanie ne pensait pas que Georges pût craquer ni renoncer à divorcer. Pour une raison

simple : en se comportant comme elle le faisait, Marie-Louise avait fini par lui « foutre la
trouille ». Georges était de ces hommes qui ne
supportent pas l'hystérie féminine : au lieu
d'en conclure qu'on a besoin d'eux, qu'ils sont
indispensables, qu'on ne peut vivre sans leur
présence et leur protection, ils en tirent un
sentiment d'impuissance. Ainsi, ils ont beau
faire tout ce qu'ils peuvent, se montrer généreux, conciliants, ils n'arrivent pas pour autant
à contenir l'être féminin déchaîné ? Ils se
sentent tout petits, brusquement. Ce qui
achève de leur donner envie de fuir, de se
réfugier là où ils sont efficaces.

A leur bureau, par exemple. Jamais Georges
n'avait autant travaillé. Ni si bien, à ce qu'il
prétendait.

Ou dans les bras d'une femme paisible qui
ne fait pas de « scènes » et ne paraît pas trouver intolérable qu'ils la fassent attendre.

« Ce qu'il ne sait pas, se disait Mélanie, installée indéfiniment devant sa télévision, le
dîner prêt à être réchauffé à la cuisine, c'est
qu'il y a encore quelques années, je me serais
conduite exactement comme Marie-Louise.
D'avoir divorcé d'avec Hubert m'a rendue
forte. Quand je me suis retrouvée seule du jour
au lendemain, j'ai traversé l'enfer ! »

Elle aussi avait connu l'angoisse des petits
matins solitaires. Et puis, elle avait cohabité
avec son père et c'est dans la compagnie du
vieil homme qu'elle s'était apaisée. Jusqu'à
devenir la femme qu'elle est désormais face à

Georges : quelqu'un qui ne s'affole plus dans la solitude. Une femme sur qui un homme peut compter.

« Il faut en avoir connu, des hommes, pour arriver à se trouver bien avec l'un d'eux ! » se dit-elle en allant ouvrir la porte au retardataire.

Georges se tient sur le seuil, un immense bouquet dans les bras.

— Ça y est, c'est fait ! La conciliation a eu lieu. Le divorce est maintenant automatique, m'a confirmé l'avocate. Je veux te dire merci. Tu as été formidable !

Mélanie, comme font toutes les femmes à qui l'on offre un bouquet, y enfouit à demi son visage.

Georges la regarde avec tendresse et admiration, il a retrouvé son assurance, ce qui lui sied. Mélanie cherche comment lui en faire compliment.

— Le célibat te va bien !

— Ton célibataire peut-il emménager chez toi ? Ses valises sont derrière la porte...

17

L'emménagement de Georges chez Mélanie s'est fait vite, mais sans lui apporter la joie qu'elle en escomptait. Ou plutôt, Mélanie n'a pas osé laisser éclater devant lui son bonheur, tant elle le sentait tendu.

Le divorce allait être prononcé dans quelques semaines et, d'une certaine façon, il n'avait pas à s'en préoccuper : au juge de fixer le montant de la pension, les modalités des visites. En attendant Marie-Louise ne se montrait pas chien : Georges pouvait voir les enfants autant qu'il le voulait.

C'est lui qui n'avait pas encore décidé de les présenter à Mélanie, laquelle l'aurait souhaité. Toutefois, il lui parlait d'eux de plus en plus, pour solliciter son avis sur ce qu'ils avaient fait, dit, et elle avait fini par les connaître, si bien qu'elle s'entendait déclarer : « Tu m'étonnes, Simon n'a pas pu faire ça, c'est un mensonge de Michel... Il doit être jaloux, les grands le sont souvent des petits... »

Quand il s'avérait qu'elle avait eu raison, Georges s'étonnait :

— Mais comment fais-tu pour connaître si

bien mes fils sans les avoir rencontrés ? Tu es devin ou quoi ?

— Je me contente de t'écouter et d'interpréter ce que tu me racontes...

— Et pourquoi je ne l'interprète pas, moi ?

— Parce que tu es trop près d'eux... Il y faut un peu de recul.

Et elle s'était mise à les aimer, ces deux enfants, du seul fait qu'elle avait, sans qu'ils le sachent, quelque influence sur leur vie. Ainsi était-ce elle qui avait donné à Georges le conseil de leur faire apprendre des sports différents : Michel, rapide mais ayant besoin de s'affirmer, bénéficierait sûrement de cours de sabre ; Simon, le beau parleur, était doué pour le tennis, c'était incontestable. Le choix se révéla judicieux, tout deux progressèrent dans leur discipline respective et apprécièrent de ne pas avoir à comparer leurs progrès.

C'est l'enseignement que Mélanie avait tiré de ses rapports d'enfance avec sa sœur : quand il existe une différence d'âge, faible mais néanmoins suffisante, l'inévitable supériorité de l'aîné sur le cadet a beau n'être due qu'à l'âge, celui-ci en éprouve de l'humiliation, tandis que l'autre triomphe à bon compte.

Mieux vaut éviter les comparaisons en poussant les enfants, selon leurs capacités, dans des voies différentes. Évidemment, cela cause quelque tracas : on ne les manie plus comme un troupeau, ils ne se rendent pas dans les mêmes lieux, on ne peut se reposer sur l'aîné pour s'occuper du petit. Ou de la petite.

Mais ces tracas supplémentaires n'ont pas de prix s'ils permettent d'éviter d'en arriver là où elle en est maintenant avec Yolande. Quoi qu'elle fasse, Mélanie le sent bien, Yolande ne lui pardonnera jamais de lui avoir été supérieure en classe de danse, en dessin, au ski, et, pour couronner le tout, quand elle a commencé à attirer l'attention des garçons. Elle revoit encore Yolande, un nœud dans les cheveux, en socquettes comme on en portait à l'époque, considérant du haut de l'escalier le jeune homme gominé qui était venu chercher sa sœur pour l'emmener à ce qu'on appelait alors une « surprise-partie ». Leur père lui avait fait subir une sorte d'examen de passage dont le pauvre garçon, probablement briefé par ses parents, était sorti admissible.

Mais personne ne s'était soucié de Yolande, de ce qu'elle pensait, éprouvait, observait. Demeurée seule avec Édouard, qui sait ce qu'ils avaient fait tous les deux ? Joué aux dominos ? Ou alors il lui avait enjoint d'aller s'occuper de ses devoirs ?

En rentrant, Mélanie avait eu le sentiment que quelqu'un avait touché aux vêtements qu'elle avait laissés en vrac sur son lit, après les avoir essayés puis rejetés, en mettant au point sa tenue de sortie.

Elle n'en avait rien conclu sur l'instant. Mais, plus tard, elle s'était convaincue que Yolande, demeurée seule, avait dû les essayer à son tour. Et, comme ils étaient trop grands pour elle, elle n'avait pas pu se plaire dans la glace, ce qui avait dû achever de l'exaspérer.

Comment, en effet, ne pas mourir de jalousie quand on voit sa sœur partir tout émue pour son premier bal ?

Édouard avait convoqué l'une de ses sœurs pour aider Mélanie à choisir sa robe, déclarant que pour une telle circonstance, son porte-feuille était ouvert. Tante Aimée, elle-même fort élégante, avait parfaitement su faire les choses : la robe de Mélanie, un bustier de velours noir avec une large jupe et de grandes manches bouffantes en organdi blanc, s'était révélée la plus belle de la soirée. Aimée lui avait également prêté un petit collier de perles fines « parfaitement convenable pour une débutante », avait-elle affirmé à Édouard qui s'inquiétait de voir sa fille arborer des bijoux.

Ce fut le tour de Yolande, un peu plus tard. Mais cela ne revêtit pas la même importance : en tout, c'est seulement la « première fois » qui compte.

« Pauvre Yolande, se disait parfois Mélanie, elle a toujours été la seconde. »

Personne n'ayant jamais fait l'effort de lui faire prendre une voie par où sa sœur aînée n'était pas déjà passée.

Mélanie se souvient aussi de la façon dont elle-même considérait sa sœur quand celle-ci commença à flirter : c'était du déjà vu, du déjà connu, et elle trouvait ses jeunes chevaliers servants un peu ridicules, avec leurs boutons et leurs seize ans.

En somme, Mélanie n'avait jamais eu l'occasion d'envier sa sœur, alors que Yolande avait dû vivre dans son ombre, avec le sentiment qu'elle ne l'égalerait jamais !

— Mais comment a-t-elle fait pour penser une chose pareille ? disait-elle à Georges quand ils en causaient. Yolande a fini par être bien plus jolie que moi, avec ses grands yeux verts, sa peau si unie. Et quand elle s'est mariée, avant moi, elle était tellement ravissante, j'ai cru que Papa allait tomber en extase quand il a pénétré dans l'église avec elle au bras ! Moi, j'étais dans la foule, je vivais en couple avec Stanley, on n'était pas mariés...

— Tu l'as jalousée ?

— Ben... non, pas vraiment. Marc était un brave type, mais je n'en aurais voulu pour rien au monde.

— Yolande devait le savoir : elle n'a jamais rien eu que tu aurais pu lui envier.

— Sauf Hermine.

— Tu lui as envié Hermine ?

— J'aime beaucoup Hermine, mais il me suffit d'être sa tante... Tu comprends, Hermine et moi, on n'a pas vraiment d'affinités, elle n'aime pas les livres, ni l'art, et...

— Tu vois, Yolande n'est jamais arrivée à te rendre jalouse ! La pauvre...

Est-ce la raison pour laquelle la « pauvre Yolande » a finalement changé son fusil d'épaule ? Au lieu de chercher à rendre Mélanie jalouse, elle s'est mise à tout tourner contre elle, à vouloir la prendre en défaut, la supposer malade, en somme la détruire par son mépris affiché.

L'aventure avec Georges aurait dû la calmer et lui faire prendre sa sœur en compassion. C'était à Yolande d'avoir le beau rôle, de dominer sa sœur du haut de la sagesse que son veuvage lui avait conférée. C'est ce que Mélanie avait cru.

— Tiens, c'est joli, ça ! s'exclame Yolande, prenant en main une coquille de nacre gravée que Mélanie a récemment trouvée dans une brocante de campagne.

Le vendeur lui a expliqué que c'était l'habitude des marins, pour occuper des heures de navigation parfois creuses, d'inscrire un dessin et une devise sur un coquillage.

— Je l'ai trouvée à la brocante de Pons..., dit Mélanie.

Elle avait acheté l'objet — quelques dizaines de francs — pour distraire son père qui aimait les objets insolites. Elle lui avait aussi rapporté un flacon de verre irisé et sans valeur, un vase en verre rouge et une petite statuette représentant un lapin.

Édouard s'amusait de tout et c'était un plaisir de susciter sa surprise et son intérêt. Yolande, en revanche, n'apprécie que les objets de prix, et puisque la coquille de nacre ne vaut « rien », elle la repose avec brusquerie.

Chez elle, n'entre qu'un mobilier qui fait antiquaire, décoration. En somme, déjà vu.

« Moi, se dit Mélanie, je mélange les formes, les couleurs, le soi-disant beau avec le prétendu laid, le cher et le sans-valeur... »

En prévision de l'inventaire, elle n'avait rien osé toucher au cadre d'Édouard ; juste, par-ci par-là, planté une « amusette » : une photo de chiens pattes en l'air, le petit lapin de faïence, une fleur animée qui dodelinait au moindre son...

Mais Yolande gardait son visage fermé. Il y a d'ailleurs bien longtemps, constate Mélanie, qu'elle n'a pas entendu rire sa sœur.

18

Cela fait trois heures qu'ils sont debout et le fait d'examiner un par un des objets disparates, du buffet campagnard à une épingle de cravate, commence à se révéler épuisant. Surtout pour les deux visiteuses, constate Mélanie qui, bizarrement, se sent moins concernée. D'ailleurs, elle s'est assise et assiste à l'opération comme à distance.

Faire un inventaire est un métier. Les officiers de justice ont l'habitude d'éplucher une pièce comme d'autres un légume, en se déplaçant à peine. Sans doute savent-ils par quoi commencer, se dit Mélanie. Est-ce par le plus gros ? le plus apparent ? en allant des murs vers le centre de la pièce, ou en faisant le tour à partir du seuil ?

Les deux femmes, mal soutenues par leurs sentiments qui ne sont ni des plus purs ni des plus honorables, se vident peu à peu de leur énergie. Sans compter qu'elles doivent percevoir, sans vouloir se l'avouer, qu'elles agissent dans un climat hostile : le notaire a réitéré que la présente opération, pour avoir été déjà accomplie à Paris, est aussi onéreuse qu'inutile.

Ce n'est pas la faim, mais une sorte de ras-le-bol qui fait dire à Mélanie :

— Vous ne souhaitez pas une pause ? Je crois que Violette a préparé une collation...

L'acquiescement général est immédiat. Mais il faut débarrasser la table de la salle à manger de son monceau d'argenterie. Tout le monde s'y emploie.

— On aurait pu se servir des couverts, suggère Hermine.

— Tu vois bien qu'ils sont sales ! tranche Yolande.

Le mot « sale » ne cesse de revenir dans leurs propos. D'une certaine façon, Mélanie s'en amuse : ne savaient-elles pas qu'il en était ainsi ?

Depuis ses quatre-vingts ans, le vieux monsieur s'est obstinément refusé à tout embellissement, rafraîchissement et même rafistolage. Il tenait à garder son capital bancaire intact et chaque mois — Mélanie l'a constaté en ouvrant son carnet de comptes — à faire des économies sur sa pension, qu'il intitulait « recettes ».

Dès que les « recettes » prenaient une certaine consistance, il demandait à sa caisse d'épargne ou à sa banque de les lui placer. Lorsqu'une dépense soudaine se présentait — un appareil électrique flanchait, la chaudière demandait révision, le bidet était fichu —, il en souffrait littéralement dans sa chair. Ce mois-là, il lui faudrait inscrire « déficit » au lieu de « recettes » !

Si Mélanie s'en était aperçue du temps qu'Édouard était vivant, elle aurait, sans rien dire, contribué de sa poche aux dépenses indispensables — elle le faisait parfois — afin que son père eût le plaisir de mettre « recettes » sur chacun des derniers mois de sa vie.

Mais elle comprit trop tard que ce refus de dépenser relevait moins de la radinerie dont on a tendance à accuser les vieilles gens que du besoin de plus en plus pressant, à mesure que le temps avance, de préserver sa dignité.

L'argent est tout ce qui reste à ceux qui perdent leurs moyens pour continuer à se faire respecter par leur entourage. A condition de garder la capacité de signer soi-même ses chèques. Les jeunes peuvent se moquer de l'argent : ils ont leurs muscles, leur avenir, leur liberté, leur beauté. Les vieux, cloués au lit ou dans un fauteuil, n'ont plus que leur compte en banque.

Et si tout était devenu « sale » dans la maison, c'était au profit de cet argent économisé sou par sou, lequel avait permis à Édouard de se sentir un « monsieur » jusqu'au bout. Quelqu'un à qui ses banques écrivaient avec considération, qui entreprenait des placements souvent judicieux, consultait la colonne « Bourse » de son quotidien, tenait en somme son rang dans la cité — tout autant, sinon mieux, que dans son jeune temps.

Même si Yolande n'a pas été émue par ce

combat contre la déchéance qu'a mené son père — son ultime combat —, au moins devrait-elle se réjouir pour son propre compte : elle va toucher d'autant plus d'argent que la maison — donnée à Mélanie — est plus « sale » !

Y réfléchit-elle ?

Une fois assis autour de la table, Hermine, Mélanie, les officiers de justice commencent à se détendre face aux boudin froid — plat régional — et aux excellents sandwichs qu'a confectionnés Violette, accompagnés d'un petit vin du pays, celui que buvait Édouard les derniers temps.

Seule Yolande, sourcils froncés, bouche serrée, n'ayant accepté qu'un bol de thé bouillant, paraît plongée dans ses pensées.

— Et la cave, s'écrie-t-elle soudain, il faut aussi inventorier la cave !

— Voyons, Yolande, dit Mélanie, tu sais bien qu'il n'y a pas de cave dans cette partie de la ville. Les maisons sont bâties sur des marais...

Yolande se lève sans répondre, indiquant par là sa volonté de reprendre sur-le-champ la cérémonie notariale. Mélanie la dévisage avec perplexité. Quand elle se trompe, fût-ce sur un point minime, jamais sa sœur ne reconnaît son erreur. Craint-elle de s'abaisser, ce faisant ?

19

Ce fut au cours de la période « trouble » où Georges, séparé de sa femme, ne se décidait pas à venir habiter chez elle, que Mélanie se rapprocha de Yolande.

Lorsque Georges lui téléphonait du bureau, l'après-midi, pour lui dire : « Ne m'attends pas ce soir, je vais aller dîner chez les enfants » — donc chez sa femme —, Mélanie, incapable de demeurer seule comme de voir des amis, se rendait chez sa sœur.

Yolande, qui s'était éloignée de beaucoup de monde pour préserver son tête à tête avec Hermine, dînait souvent chez elle avec sa fille et acquiesçait toujours à la demande de Yolande :

— Je peux venir dîner ?

— Bien sûr, il n'y a pas grand-chose...

— Cela me suffira.

Yolande n'habitait pas trop loin de chez elle, et Mélanie s'y rendait à pied, cette marche lui faisait du bien. Arrivée chez Yolande, laquelle était à ses fourneaux — on dînait à la cuisine —, Mélanie commençait par se laisser tomber sur une chaise, se versait un verre de vin, allumait une cigarette.

— Du nouveau ? finissait par demander Yolande, comme par politesse.

Mélanie l'avait très vite mise au courant de ses projets : elle avait rencontré un homme qu'elle aimait, qui l'aimait. Ils allaient vivre ensemble. Yolande n'avait pas émis de commentaires, ce qui pouvait passer pour une approbation.

Après le repas, Hermine retournait dans sa chambre pour y préparer d'hypothétiques examens, regarder la télévision, lire, et les deux sœurs demeuraient face à face. Yolande se préparait du café, posait un coude sur la table, dans la position de qui est tout oreilles. Mélanie parlait sans qu'elle eût à la questionner.

C'est ainsi qu'elle lui raconta qui était Georges, comment il vivait, à quoi il ressemblait — car Yolande ne l'avait jamais vu. Elle se contentait, par-ci par-là, de relancer avec une question. Ce qui marchait toujours, tant Mélanie avait besoin de se confier. Peut-être aussi de comprendre, en le formulant devant un tiers attentif, ce qui lui arrivait.

— Ne m'as-tu pas dit qu'il avait des enfants ?

— Deux garçons. Oh, ils sont grands, huit et dix ans.

Yolande hochait la tête :

— Encore loin de leur majorité !

— Je sais bien, mais Georges n'a pas l'intention de les abandonner, il va leur faire une pension confortable — du moins à leur mère —, il le peut, il gagne bien sa vie. C'est un cadre supérieur.

Mélanie ne connaissait pas le montant de ses revenus, mais elle voyait le train de vie, le quartier où il vivait, la voiture, la façon dont il sortait son carnet de chèques dans les restaurants, les magasins.

— Ah, bon.

Les commentaires de Yolande s'arrêtaient là et Mélanie crut longtemps qu'elle ne pensait rien de particulier de son aventure. Elle en conclut que Yolande était bonne avec elle. N'acceptait-elle pas de la recevoir tous ces soirs où elle se sentait par trop seule ? Le dimanche aussi, parfois le samedi.

Heureusement qu'elle avait sa sœur pour l'aider à passer ce temps difficile qui la séparait d'une vie nouvelle !

C'est lorsque les mois s'écoulèrent et qu'elle commença à s'impatienter, et même à s'angoisser, que Yolande lui fut le plus utile. Non pour se laisser aller à critiquer Georges, pauvre homme, il faisait ce qu'il pouvait dans une situation qui n'était pas simple, mais pour se raconter. Il lui arrivait même d'appeler sa sœur en plein après-midi.

— Attends, répondait Yolande, je vais chercher une cigarette.

Elle était prête à lui donner du temps, ce qui déjà apaisait Mélanie. Georges lui en accordait de moins en moins. Ou plutôt, le cadre dans lequel ils évoluaient ensemble se faisait de plus en plus réduit. Un jour que Mélanie s'était permis de protester faiblement, il s'était irrité :

— Marie-Louise a besoin de moi, elle ne sait

pas se débrouiller... C'est très difficile, un divorce. Je sais que tu es passée par là, mais tu n'avais pas d'enfants !

Il lui était échu de conduire tous les jours les enfants à l'école — adieu, les petits déjeuners d'avant le bureau avec Mélanie ! — et parfois d'aller les rechercher. C'est au retour qu'il l'appelait pour décommander leur dîner :

— Leur mère ne rentre pas, il faut bien que je m'en occupe...

— Et la jeune fille ?

— Ce n'est pas la même chose.

Ce qui n'était plus la même chose, c'était leur couple. Mélanie le percevait sans parvenir à lui en vouloir...

Avec le recul, elle se dit que Yolande devait se reprocher de s'être montrée si tolérante : après tout, sa sœur prenait un homme à sa femme et à ses enfants !

Le motif avait beau en être l'amour, la passion, elle ne pouvait s'empêcher de songer à ce foyer en train de se détruire à cause de sa sœur. Comme un nid dont le vent disperse les brindilles — et que vont devenir les oisillons encore sans plumes ?

C'est plus tard que Mélanie se remémora que, durant tout ce temps-là, jamais Yolande n'avait eu un mot pour la réconforter, l'aider à prendre patience. Ni pour la mettre en garde : « Méfie-toi, cet homme te laisse tomber, en tout cas il s'y apprête... » Rien. Elle écoutait. Tapotait sa cigarette du doigt pour en faire tomber la cendre, l'écrasait pour l'éteindre, en rallumait une autre.

Oui, plus tard, Mélanie se dit que sa sœur s'était gorgée de cette histoire qu'elle avait dû trouver monstrueuse : est-ce qu'elle avait des amants, elle ? Est-ce qu'elle faisait divorcer des hommes ? En réalité, en l'écoutant, sa sœur devait guetter le faux-pas. Qu'elle jugeait inévitable. Dont elle jouissait d'avance. Dans la haine.

« Mais la haine de quoi ? » se demandait Mélanie.

Était-il possible que ce fût de son bonheur ? Cette passion inexprimée, inexprimable que Mélanie partageait malgré tout avec Georges ? Par pudeur, jamais Mélanie n'avait parlé de leurs nuits à sa sœur, mais Yolande devait subodorer leur plaisir, deviner que cela au moins marchait, et s'enfiévrer de frustration.

Le bonheur au lit, c'est peut-être ce que les femmes envient le plus quand l'une l'a, l'autre pas. Surtout entre sœurs.

Le notaire l'avait formulé avec sa petite phrase en apparence banale : « Votre sœur vous en veut parce que vous êtes la plus jolie. »

Jolie ne signifie rien, d'ailleurs : Yolande l'était, aurait pu l'être davantage encore si elle ne s'était déguisée en dame d'œuvres. C'est d'être la plus désirée, et capable de jouissance, qu'elle ne lui pardonnerait jamais.

« Mais c'est elle qui refuse les hommes ! » s'était indignée Mélanie quand elle prit conscience de la jalousie de sa sœur sur ce plan-là.

Et alors ? Entre sœurs, tout doit être pareil : bonheur, malheur, beauté, laideur, fortune, intelligence... Autrement, c'est vécu comme une injustice, et celle qui se croit lésée en veut à l'autre comme à la terre entière. Surtout aux parents. Ce sont eux, les responsables.

Yolande en voulait à Édouard de lui avoir donné cette sœur-là. Trop brillante.

20

« Qu'est-ce que c'est que ça ? » s'enquiert
Hermine en penchant sa myopie sur le globe
de verre qui protège une imitation de fleurs
d'oranger montées en couronne et rongées par
le temps. Difficile, en effet, d'identifier au premier regard l'armature grisâtre d'où pointent
de minuscules pignons de cire jaunie.

— La coiffure de mariée de mon arrière-
grand-mère, donc de ton arrière-arrière-grand-
mère à toi, répond Mélanie.

Elle était sur le point de jeter ce reliquat
poussiéreux lorsque, ayant soulevé le globe,
elle avait découvert un petit rouleau de papier
glissé derrière le socle, où l'écriture d'Édouard
expliquait la nature de l'objet.

Le jour de leur mariage, toutes les femmes
sont des reines couronnées, la plupart éphé-
mères ! Elle se rappelle fort bien dans quel
tralala sa sœur avait épousé Marc. Yolande
était transfigurée, ce jour-là. Les assistants ne
cessaient de le répéter à l'église, au lunch :

— Vous avez vu Yolande ? Je ne croyais pas
qu'elle pouvait être aussi ravissante !

— C'est l'amour, ma chère !

Si ç'avait été l'amour, elle n'aurait pas repris son air revêche dès le lendemain. En fait, comme toutes les mariées, elle s'était sentie élevée au-dessus d'elle-même par le discours du maire, l'homélie du prêtre rappelant son importance dans la chaîne des générations : sans elle, sans une femme, sans cette « future mère » dont les officiants avaient pour mission de vanter le rôle irremplaçable, pas d'humanité.

Mais, le lendemain, les soucis inhérents à la condition féminine avaient repris le dessus.

Et puis il y avait Mélanie qui, depuis toujours, devait lui faire de l'ombre. Pourtant, le jour du mariage de sa sœur, l'aînée n'était guère au sommet de sa forme : elle était en train de quitter Stanley avec lequel elle n'avait pas consenti à se marier — quoique l'opinion prétendît que c'était lui qui la plaquait. En apparence, Yolande avait toutes raisons de triompher.

Au surplus, comme elle ne se sentait pas le cœur à la fête — Stanley était si malheureux ! —, Mélanie n'avait pas fait d'effort de toilette particulier : une petite robe bleu marine — elle aurait préféré du noir, mais cela ne se fait pas pour un mariage — avec un grand col blanc. Au dernier instant, elle avait placé dans ses cheveux, sur un gros grain porté en bandeau comme le faisait Chanel, un faux camélia blanc.

Est-ce parce qu'on savait qu'elle redevenait

libre ? Ou parce que la simplicité de sa robe de mousseline sombre était en élégant contraste avec les ensembles bariolés de la plupart des femmes présentes ? Les hommes étaient venus vers elle.

Maintenant que Mélanie y repense, il y avait eu cet étrange regard de Yolande. Au bras de Marc, elle était en train de poser, joyeuse, pour le photographe, considérant l'assistance sans paraître la voir. Soudain, ses yeux s'étaient braqués sur Mélanie qui, un verre à la main, se laissait embrasser dans le cou par leur cousin Sébastien, d'habitude peu démonstratif. En costume de garçon d'honneur, ayant un peu bu, il devait se sentir un autre homme. Sans compter que l'ambiance d'un mariage pousse aux effusions. Il n'y avait aucun mal à ce baiser qui, de toute évidence, resterait sans conséquences.

Pourquoi le visage de Yolande avait-il brusquement changé ? Sur l'instant, Mélanie n'en avait tiré aucune conclusion. Maintenant, elle se rappelle que Sébastien avait fait la cour à Yolande avant son mariage, et qu'elle avait dû éprouver un petit sentiment pour lui. Toutefois, l'ayant jugé insuffisant — son métier de bibliothécaire n'en faisait pas quelqu'un d'argenté —, elle lui avait préféré Marc, l'industriel.

S'était-elle dit que sa sœur, désormais libre, allait se « payer » une aventure avec son soupirant à elle ? Qu'elle goûterait les plaisirs que Yolande s'était refusés par convenance ? A moins qu'elle-même ne s'y fût abandonnée avant mariage, et qui sait si elle ne regrettait pas en secret Sébastien ?

Quand Yolande revient de voyage de noces, c'est un regard durci qu'elle pose sur Mélanie. Mais rien n'a lieu : pas un mot, aucun échange, pas même à propos de Sébastien qu'on ne revit jamais chez elle.

— Toi aussi, quand tu te marieras, tu auras une belle robe et une coiffure sûrement plus seyante que celle-là ! dit Mélanie à Hermine.

— Oh, moi..., souffle Hermine.

— Toi, quoi ? riposte Mélanie, surprise par le ton désabusé de sa nièce.

Mais, déjà, la jeune fille lui a tourné le dos, s'occupant avec sa mère d'ouvrir l'armoire, celle où Mélanie range le plus gros de sa garde-robe. Les vêtements, serrés, sont suspendus à des cintres. Les chaussures couvrent le plancher. Des chandails s'entassent sur l'étagère du dessus.

Les deux femmes considèrent en silence l'abondant déploiement de matières et de couleurs : du rouge surtout, puis du vert, du noir et du blanc, une touche de jaune. Pas de bleu, qui n'est pas une teinte pour Mélanie. Seule la petite robe marine, à tout hasard conservée, fait bande à part.

— Pas la peine, ça n'est pas intéressant ! tranche Yolande, refermant brutalement les battants.

Le ton, le geste sont insultants.

Mélanie se retient pour ne pas éclater et lui

dire son fait : faut-il que sa sœur la jalouse pour déclarer nul et mon avenu ce qui contribue à sa personnalité ! Quoi de plus intime qu'une garde-robe ?

La preuve en est qu'elle n'a pas encore osé jeter celle de son père. Il lui arrive de passer tendrement la main sur la manche d'un de ses si vieux costumes en murmurant : « Papa... »

C'est peut-être son imperméable usé qui l'émeut le plus, toujours accroché à l'une des patères de l'entrée. Il était si heureux de l'enfiler : on allait sortir ! Une fois la gabardine passée, il la priait de tirer par en dessous sur l'arrière de son veston, pour qu'il ne remonte pas. Puis, une main tendue vers le porte-manteau, il lui demandait : « Je mets ma casquette ou mon chapeau ? »

C'était une affaire importante que le souci qu'il avait de sa mise, une affaire de cœur : il se faisait beau, se voulait beau, par fierté personnelle, mais aussi en hommage à sa fille qui l'accompagnait. Sa garde-robe en témoigne encore.

Et voilà Yolande qui claque la porte sur les vêtements de sa sœur, déclarant que cela ne « compte pas » !

Il est vrai que le contenu de l'armoire ne sera pas comptabilisé dans l'inventaire, puisqu'il s'agit de biens qui lui appartiennent en propre, hors héritage.

Dans ce cas, pourquoi Yolande a-t-elle désiré y avoir accès ? Poussée par quel ardent besoin de fouiller ? « Autant m'ouvrir le ventre, pendant qu'elle y est, pour voir comment je fonctionne ! » murmure Mélanie. Les mots sonnent si vrais qu'elle prend peur. Et si Yolande avait vraiment, sans en avoir conscience, le désir d'aller voir ce qu'elle « a dans le ventre », selon l'expression si parlante ?

Aujourd'hui, avec Hermine pour assistante, c'est à une sorte d'opération chirurgicale qu'elle se livre ! « Une autopsie », conclut Mélanie en regardant les deux femmes inspecter les chemises, puis les draps d'Édouard, dont certains, grisâtres et doux, sont aux initiales des grands-parents.

— Du linge usé..., laisse tomber Yolande sans respect pour ces reliques.

Tournant les talons, elle s'apprête à pénétrer dans la petite pièce du second dont Mélanie a fait son bureau.

21

Tant qu'elles avaient vécu ensemble dans la même chambre, les sœurs n'avaient pas de vrais regards l'une sur l'autre.

« Parfois, mon père me dévisageait, se rappelle Mélanie, il se permettait une réflexion sur mon physique, mon apparence, constatait que j'avais grandi, m'en faisait compliment, mais ma sœur, rien ! »

Elle non plus ne voyait pas Yolande. Il a fallu qu'elles se séparent pour qu'elle parvienne à considérer et juger sa sœur comme s'il s'agissait d'une étrangère. La première fois, elle avait plus de vingt ans. Elle compara leurs chevelures, elle ne savait pas, jusque-là, que celle de Yolande était aussi épaisse ! Elle prit également conscience que sa sœur avait les yeux très clairs, l'épiderme plus mat que le sien. Alors qu'elle pouvait décrire à un grain de beauté près l'aspect de ses amies ou de ses compagnes de classe, elle n'avait rien retenu des traits de sa sœur.

C'était réciproque : Mélanie aurait pu débarquer les cheveux verts que sa sœur se serait contentée de passer aux affaires en cours !

Était-ce pour avoir été trop proches ? Deux oisillons au nid, qui se tiennent chaud, pépient de concert, tremblant d'angoisse à l'idée que les parents nourriciers ne rentreront pas, ne songent guère à comparer leurs plumes ni leur ramage.

Les deux sœurs avaient donc eu si peur ? Faute de mots, de repères, on ne sait pas jauger sa souffrance quand on est enfant, ni sa joie. Des petits se laissent mourir de chagrin sans avoir su qu'ils étaient tristes.

Plus tard, Mélanie avait pu parler de son enfance avec Hubert, qui savait écouter, et elle avait fini par se dire que bien des choses lui avaient alors fait mal. Le manque de mère, l'éloignement d'Édouard qui, sans se remarier, avait dû entretenir des liaisons dont il ne parlait pas à ses filles.

Les sœurs s'étaient soudées dans leur détresse, mais sans rien se dire. Dans une sidération effrayée.

En prenant de l'âge et avec l'entrée en jeu des hommes, c'est le décollement l'une de l'autre qui les avait peu à peu rendues capables de se jauger mutuellement. Mélanie avait envie de dire : de s'apprécier. Non, car c'est à partir de là que Yolande avait commencé à la détester, lui reprochant tacitement tout ce qu'elle était et faisait. Par jalousie ?

Soudain, Mélanie trouve la bonne réponse : sa sœur ne lui a pas pardonné d'être différente ! Par son physique, mais aussi par ses pensées, son destin.

Comme s'il pouvait en être autrement, même entre sœurs !

Cela lui crève les yeux à l'instant où, d'un pas qui se veut nonchalant, Yolande pénètre dans le bureau et jette un regard exaspéré sur l'accumulation de livres et de dossiers.

Mélanie vit dans ce qui se transcrit sur papier, les petits signes noirs sur blanc. C'est son royaume, le lieu où elle se sent bien. Dès qu'elle est un peu mal à l'aise, elle monte vite jusqu'ici, classer, écrire, lire, s'asseoir à sa table.

Au début de leur mariage, Hubert le lui signalait avec amour et désir : « Viens ici, ma petite intello chérie, jetait-il en l'entraînant vers le lit, je vais te faire découvrir autre chose que les livres, moi... » Plus tard, le jugement s'était aggravé, tombant parfois comme un couperet : « Oh, toi, tu vis dans tes bouquins, le reste ne t'intéresse pas... »

N'est-ce pas ce que Yolande est en train de penser ? Pour l'heure, elle ne formule rien, c'est la façon dont elle s'est plantée au milieu de la pièce qui est éloquente : comme prise de dégoût !

Il arrive à Mélanie de déclarer : « Je vis sur une litière de papier ! » En plus des livres, des monceaux de journaux, de magazines traînent partout, au point qu'en se levant le matin il lui est arrivé de se casser la figure sur le papier glacé qui fait descente de lit !

A chacun son vice. Celui-ci, si c'en est un, ne peut nuire qu'à elle.

Cela n'a pas l'air d'être l'avis de Yolande qui lance des regards horrifiés vers les murs de la pièce couverts de rayonnages ultra-remplis. « A croire qu'elle a mis les pieds dans une auge... ou encore une morgue où tout n'est que cadavre et empeste ! » observe Mélanie.

Hermine s'est figée sur le seuil de la pièce, aucune indication maternelle ne lui ayant donné le signal de la direction à prendre. Le notaire et le commissaire-priseur sont dans l'entrée, à s'interroger sur l'origine d'une gravure qui semble faire problème. A moins qu'ils ne cherchent à combler le temps.

Rarement inventaire ne s'est révélé aussi fastidieux.

D'habitude, les clients l'expédient, pressés d'être débarrassés de ce qui, somme toute, est à leurs yeux une corvée. Là, ces dames semblent se complaire. A quoi, d'ailleurs ? Ils n'ont rien vu à estimer dans la pièce à côté : du papier, des rayonnages et des livres, pas même anciens.

Il y a aussi l'ordinateur.

Et c'est sur lui, soudain, que se braque toute l'attention, pour ne pas dire l'animosité de Yolande.

— Et l'ordinateur, lance-t-elle d'une voix sonore, tu as la facture ?

— Mais c'est *mon* ordinateur ! réplique Mélanie d'un ton surpris.

Sa sœur ne va tout de même pas imaginer qu'un appareil aussi sophistiqué ait pu appartenir à leur vieux père ?

— Qu'est-ce qui me le prouve ?

Le notaire, attiré par le bruit de voix, vient d'entrer dans la pièce.

— Madame !

Son ton est lourd de reproches.

Il devient évident que sa cliente « pousse ». Quel âge avait M. Boyer, plus de quatre-vingt-dix ans ? Et on voit bien que c'est sa fille qui travaille ici, son père ne montait plus les étages depuis longtemps...

— Tu imagines Papa s'achetant un appareil de plus de vingt mille francs ? Pour quel usage ?

Mais on ne démonte pas Yolande, surtout si elle se sent dans son tort.

— Mon père adorait les ordinateurs ! Chaque fois qu'il venait chez moi, il jouait avec le mien..., lance-t-elle d'un ton péremptoire.

Toutefois, quelque chose en elle a flanché. Peut-être le mot « jouer » l'a-t-il atteinte, lui évoquant l'image de son vieux père pianotant sur le clavier de son propre petit « Mac » pour s'assimiler les nouvelles techniques, comme il aimait faire ? Ou se laissant entraîner dans quelque jeu vidéo par Hermine ?

Mélanie croit percevoir qu'un immense chagrin ruisselle à l'intérieur de sa sœur, une douleur secrète, rongeante, que Yolande n'a jamais exprimée. Elle s'approche, va pour la prendre dans ses bras. Mais Yolande a dû la deviner — elles n'ont pas fusionné pour rien dans leur enfance — et lui fait face, vipérine.

— Qu'est-ce que tu as, là ? Regardez tous,

Mélanie a la thyroïde enflée ! Il faut que tu te fasses soigner... Tu es malade !

Et elle lui appuie sur le cou à l'endroit où, Mélanie le sait bien, elle n'a rien, sinon l'artère qui conduit au cœur et qui, à ce moment même, bat trop fort.

« Salope ! » pense-t-elle, atteinte dans son être intime par le geste inouï de sa sœur. Comment ose-t-elle la tripoter avec autant de familiarité ? En exprimant sans vergogne son vœu de mort ?

Mélanie se contente de murmurer : « Tu es une mauvaise sœur ! » Et, comme elle s'est retenue de la gifler, elle se met à trembler.

— Tu vois bien que tu es malade ! Tu trembles...

Les deux hommes restent muets. De surprise ? De lassitude résignée ? Le commissaire-priseur regarde sa montre :

— Il n'y a plus que le grenier : est-ce bien la peine ?

Sans doute est-il peu ami des toiles d'araignées, et, vu l'état du reste, il craint le pire...

— Et comment ! lance Yolande. Il y a sur la liste des meubles que je n'ai pas pointés. Peut-être sont-ils là-haut ?

D'avoir blessé Mélanie, elle a retrouvé toute son alacrité.

« Au moment où j'allais lui exprimer ma tendresse ! » se dit Mélanie qui descend au rez-de-chaussée pour se verser un petit verre de cognac, le meilleur des remontants en cas de choc affectif. « Que lui ai-je fait ? Si seulement elle pouvait me le dire... »

Ce que Mélanie ne comprend pas, c'est qu'en lui faisant mal, c'est une part d'elle-même que Yolande cherche à meurtrir. La plus chère, peut-être. C'est plutôt Hermine qui devrait se sentir affectée : a-t-elle vraiment remplacé Mélanie dans le cœur de sa mère ?

— Tu viens, lance Yolande à sa fille d'un ton sans réplique en escaladant vivement les marches raides qui conduisent au grenier mansardé.

A l'évidence, elle espère encore découvrir, sous la poussière du temps, quelque chose que sa sœur lui cache. « Comme si j'avais des secrets ! soupire Mélanie. Alors que je n'ai plus que du chagrin. »

Qu'elle ne peut partager avec personne. Surtout pas avec sa sœur. Cela l'a frappée, à table : quand Yolande tourne la tête dans sa direction, son regard n'accommode pas. Elle ne voit pas Mélanie, elle l'invente, l'imagine comme un personnage fictif de son propre monde intérieur. Faut-il dire de son drame ?

« Sait-elle même que j'existe ? » s'interroge Mélanie tandis que Yolande déplace avec une force surprenante de vieilles cantines rouillées, bourrées de bouts de tissus moisis, des malles-bateaux, belles encore, mais vidées de tout, même d'âme.

A nouveau, Mélanie a envie de crier à sa sœur : « Arrête, je ne suis pas dans ce fatras, je suis à côté de toi, pourquoi ne me parles-tu pas ? Pourquoi me fais-tu de la peine ? Qu'est-ce que ça t'apporte ? Tout ce tracas pour rien... »

Elle retourne sur le minuscule palier : on ne peut tenir à quatre dans le grenier sans se heurter aux poutres. En se retirant, elle aperçoit le jeune visage d'Hermine, tout pâle, comme vidé de son sang. « Quelle épreuve pour cette petite ! se dit-elle. Cela doit être affreux de voir sa mère emportée par une passion mauvaise et de n'y rien comprendre. Elle supporterait mieux de la voir amoureuse d'un homme ; au moins, cela la libérerait, elle pourrait en faire autant de son côté. »

Mais Yolande a-t-elle jamais éprouvé de l'amour ? On dirait qu'elle ne connaît de la passion que ses affres.

Le commissaire-priseur égrène la litanie de ses chiffres. Dérisoires, vu l'état de ce qu'Édouard a cru bon d'entreposer pieusement au-dessus de leurs têtes : « Vingt francs... Cinquante... Dix... » Une cuvette en zinc émaillé avec son broc, un pot de chambre en faïence ébréché, une table de toilette en pitchpin sur trois pieds, des livres grignotés par les souris, dernières traces de vies abolies...

« J'aurais dû tout jeter avant l'inventaire, se reproche Mélanie. Voici maintenant qu'on me le chiffre. Mais peu importe... »

Des bruits violents montant de la cuisine indiquent que Violette est révulsée : à ses yeux, décompter ces pauvres choses, c'est comme profaner une tombe. « Ça ne leur portera pas bonheur », lâche-t-elle, dents serrées, en achevant de ranger la vaisselle du déjeuner. « Ces gueuses-là vont à la ruine. »

En campagne — Violette en vient —, on s'y connaît en mauvais sort. Mélanie préfère penser qu'un jour ou l'autre, tout reniement se paie.

22

Le groupe est redescendu dans la salle à manger. Sur la grande table débarrassée des restes du repas par Violette, les officiers de justice étalent leurs papiers.

L'un d'eux a sorti une petite calculatrice sur laquelle il additionne les chiffres notés. Cela prend un moment : la liste est longue. Yolande et Hermine se sont rendues dans la cuisine pour y boire un verre d'eau, puis font quelques pas dans le jardinet.

Le téléphone sonne. « Encore ! » se dit Mélanie. Depuis le matin, les appels les plus divers retentissent. Au bout de quelques mots, incapable de s'intéresser à quoi que ce soit d'autre qu'à l'opération en cours, elle finit par lâcher : « Excusez-moi, je n'ai pas le temps de parler de ça pour l'instant, je suis en inventaire. — Ah bon ! » s'étonnent ses interlocuteurs, un peu ahuris.

Inventaire est un terme de commerçant, ils doivent se demander à quoi elle se trouve confrontée, mais elle n'a nulle envie de le leur préciser. Elle est troublée ? Eh bien, qu'ils le soient eux aussi !

— Allô, dit-elle d'une voix brève, prête à envoyer le nouvel importun au bain.

Elle aurait préféré pouvoir tendre l'oreille à ce que se chuchotent Yolande et Hermine qu'elle peut apercevoir à travers les vitres de la véranda — et qui les fait tant rire. Yolande désigne de la main la façade de la maison, qui a bien besoin d'être ravalée. Elle hoche la tête. Elle doit souffler à Hermine : « Ce que tout est moche, ici ! »

Mélanie s'en affecte : abîmée, délaissée, la vieille maison l'est assurément — mais moche, non, cela, elle refuse qu'on le dise ! Elle avait eu un chien, autrefois, et quand il avait commencé à prendre de l'âge, des gens le regardaient dans la rue d'un air un peu dédaigneux : « Il se fait vieux ! — Pas du tout, rétorquait Mélanie, il a toujours eu du poil blanc au museau, c'est sa race. Il est en pleine forme, n'est-ce pas, le chien ? » Elle craignait que Sultan, qui comprenait tout, souffrît d'être ainsi dévalorisé. Qui sait si la maison ne ressentait pas elle aussi qu'on cherchait à la rabaisser ?

— Allô, dit-elle, j'écoute !

Au bout du fil, il n'y a que des *bip* et des *buzz*. Mélanie est sur le point de raccrocher quand une voix à l'accent étranger lui demande de ne pas quitter. Soudain, une autre voix très éloignée lance :

— Allô, allô ! Puis ajoute : Je voudrais parler à Mme Mélanie Boyer, s'il vous plaît...

— C'est moi, répond Mélanie.

— Mon Dieu, c'est toi !

— Oui.

— C'est moi, Georges !

Cela fait quelques secondes qu'elle le sait. Ce qui l'étonne, c'est que cela ne l'émeuve pas davantage. Elle est comme figée à l'intérieur, ni gaie ni triste, pas même dans l'expectative. Interdite.

Georges appelle et il a choisi ce jour-là, et il est vivant. Trop de notions se bousculent en même temps, sans hiérarchie.

— Tu vas bien ? demande la voix lointaine.

— Oui.

A lui, elle ne va pas dire qu'elle est *en inventaire*, qu'est-ce qu'il y comprendrait ? Il ne sait même pas qu'Édouard est mort. Il est devenu un étranger, il n'est plus dans sa vie.

— Écoute, je ne vais pas pouvoir te parler longtemps, la communication est très chère et je n'ai pas assez de monnaie. Je suis à Shanghai...

La Chine ! Elle y avait pensé, à vrai dire. C'est un continent où se perdre, quand c'est ce qu'on recherche.

— Je pense que je vais bientôt revenir.

— Ah bon.

A-t-il prévenu Marie-Louise ? Est-ce à Mélanie de le faire ?

— Je t'ai écrit pour t'en informer, tu n'as pas dû recevoir ma lettre ?

— Non.

— Le courrier est très long. Il faudra que je t'explique...

Mélanie n'est plus complètement à sa

communication. Sa sœur a fait irruption dans la pièce et la fixe d'un air soupçonneux. Yolande a-t-elle compris qui l'appelle ? Elle a toujours une hypothèse sur tout ; souvent elle se trompe, parfois elle tombe juste.

Gênée par sa présence, Mélanie est moins à l'écoute. Jusque-là, elle enregistrait la plus minime inflexion, se disant qu'elle l'interpréterait une fois qu'elle aurait raccroché.

— J'ai un train à prendre, il faut que je parte, jette Yolande qui ne s'est jamais souciée d'interrompre une conversation.

Mélanie sursaute : Yolande ne va quand même pas partir sans avoir signé l'inventaire !

— Attends-moi, j'arrive ! s'exclame-t-elle, une main sur l'écouteur.

— Tu m'entends, dit la voix au bout du fil, tu es là ?

— Oui, je suis là.

— Alors, à bientôt, je t'embrasse, je n'ai pas le temps de tout te dire, nous parlerons plus tard...

— C'est ça, répond Mélanie, nous parlerons.

Elle aussi devrait ajouter : « Je t'embrasse », mais, sous l'œil glacial de Yolande, elle n'y parvient pas. Et puis, elle ne sait plus ce qu'elle pense ni d'elle, ni de Georges. Elle n'est sûre que d'une chose : Yolande doit parapher l'inventaire, tout ce pénible travail ne peut pas avoir été accompli en vain. Qu'attend donc le notaire pour lui présenter les papiers à signer ?

Mélanie raccroche et se précipite vers la salle à manger où le notaire et le commissaire-priseur achèvent de rédiger leurs actes. Mais elle n'est plus la même. Les tracas juridiques l'atteignent déjà moins. Une grande joie l'a envahie : cet homme est vivant.

23

La dernière fois que Mélanie l'a vu, Georges n'a rien laissé transparaître. Sinon, Mélanie aurait discuté et, croit-elle, l'aurait retenu : Georges est un homme de cœur fourvoyé dans une attitude de fuite qui ne lui ressemble pas.

« C'est la seule raisonnable », a-t-il pourtant écrit dans le petit mot reçu après son départ, dans lequel il ne précisait ni adresse ni destination.

Bien sûr, le premier mouvement de Mélanie fut d'appeler sa femme pour tenter d'en savoir plus long — mais elle se retint. Elle savait Marie-Louise très montée contre elle, la voleuse d'homme, et qui sait comment elle l'aurait reçue ? En l'injuriant ?

C'est Marie-Louise qui l'a appelée vingt-quatre heures plus tard :

— Pardonnez-moi de vous déranger, mais j'ai reçu une drôle de lettre de Georges. Sauriez-vous où il est, par hasard ? Je m'inquiète : il y a quand même les enfants...

— Que vous dit-il ?

— Il me lègue tout ce qu'il possède ! Plus

exactement, il a retiré tout ce qu'il avait en banque pour le déposer chez un ami commun. Il me demande d'aller le chercher et de m'en servir jusqu'à épuisement... J'ai voulu le joindre pour tenter de comprendre : impossible, il n'est plus nulle part... Je me suis dit que vous sauriez peut-être où il se trouve !

— A moi aussi, il a laissé une lettre bizarre. Il me dit adieu...

— Seigneur, se serait-il suicidé ?

— Ce n'est pas ce qu'il laisse entendre.

— Il avait une assurance-vie sur la tête des enfants, et tant que le corps...

— Il ne le fera pas, il les aime trop pour leur faire ça.

— Vous me rassurez.

— Je pense que Georges réapparaîtra. Sa dernière phrase le laisse entendre : « Si je parviens à rétablir la situation, je reviendrai... »

Ce qu'elle ne dit pas à Marie-Louise, c'est qu'il avait ajouté : « Ne m'attends pas. »

C'est la voix changée, presque implorante, que Marie-Louise a repris : « Cela me fait du bien de savoir qu'il a écrit ça. Pouvons-nous nous voir ? »

Mélanie a aussitôt accepté. En mettant en commun ce que l'une et l'autre savaient de Georges, peut-être arriveraient-elles à s'éclairer mutuellement ? Et puis, en dehors d'elles deux et des enfants, qui s'intéressait vraiment à la disparition de Georges ?

« Une fugue, diraient les amis en riant. Coincé entre ses deux nanas, c'est tout ce qui lui restait à faire ! »

Faux : ses problèmes de femmes, Georges était sur le point de les résoudre. C'est quelque chose d'autre qui l'avait poussé à la fuite, une situation qu'il n'avait pas vue venir, qu'il ne maîtrisait pas, qui l'atteignait au point le plus vulnérable de sa virilité. Surtout en ce moment où — de nouveau amoureux — il avait besoin de se sentir en pleine possession de ses moyens...

Puis Marie-Louise s'était reprise, et les deux femmes ne s'étaient pas vues. Préférant attendre cet homme, chacune de leur côté, plongées dans leurs souvenirs.

24

S'était-il montré plus taciturne, les derniers temps ? Mélanie ne s'en souvient pas. Elle ne se rappelle que des matins glorieux, heureux, où il lui disait : « A ce soir », en l'embrassant amoureusement sur le pas de la porte. Sitôt seule, elle se dirigeait vers sa table de traduction après s'être reversé un peu de café.

Georges était tout à fait le même homme, tendre et attentionné.

Évidemment, il devait craindre qu'elle lui téléphone sur son lieu de travail où on l'aurait aussitôt renseignée.

Georges avait trouvé le moyen de l'en dissuader : on avait installé provisoirement quelqu'un dans son bureau, le standard fonctionnait mal... C'était lui qui appellerait, il préférait...

Son insistance à éluder d'éventuels coups de fil avait ôté à Mélanie l'envie de le déranger, voire même de s'inquiéter.

Par la suite, elle s'était remémorée qu'un de ses amis de jeunesse s'était comporté de la sorte avant de se suicider : inutile de l'appeler, il ne serait pas là, il partait en week-end avec les Untel que personne de leur groupe ne connaissait, il serait injoignable... C'est sur un ton enjoué qu'il leur avait donné rendez-vous « la semaine prochaine », se réservant deux jours de complète solitude, cadenassé chez lui. A la fin de la seconde journée, il s'était fait « sauter le caisson », comme il l'avait formulé dans le billet laissé « à ses amis ».

Que veut dire le mot « amitié », s'était indignée Mélanie, quand on se comporte de la sorte ?

Le commissaire de police, le psychiatre leur avaient affirmé que cette façon de procéder, chez quelqu'un de suicidaire (le garçon l'était), est assez fréquente : on rassure sans scrupules pour mieux avoir les mains libres. « Pas gentil », avait murmuré Mélanie à l'enterrement.

Mais Georges n'était pas suicidaire. Ne mentant — à contrecœur — que s'il ne pouvait faire autrement. Dans ce cas, bon comédien !

Mélanie ne s'était doutée de rien. Georges trouvait même le moyen de lui raconter de « petites histoires » censées avoir eu lieu, à l'entendre, pendant qu'il était au travail : entre le grand patron et le liftier, ou entre deux secrétaires, ou encore au snack où il lui arrivait parfois de prendre un plateau.

D'où les tirait-il, ces anecdotes qui sonnaient si vrai ? De son imagination ? De sa mémoire ?

Le pire, c'était de se dire qu'il n'avait pas eu suffisamment confiance en elle pour lui demander son aide. Après tout, cela n'était pas un crime, son affaire... Il n'était en rien coupable, c'était ce qu'on nomme un « fait de société ». Elle finit par se dire : « Ça arrive à tout le monde... »

Non, pas à tous, heureusement, mais nul n'est à l'abri. Toutefois, un tel malheur n'est pas irrémédiable, on peut lutter, repartir, et Mélanie se surprit à penser : « Ce n'est quand même pas comme attraper le sida ! »

A peine formulée, elle jugea la comparaison cruelle. Le sida, autre forme de fatalité, se combat lui aussi, et exige encore plus de courage. Puis elle se demanda — car elle lui en voulait, et plus rien n'endiguait se rancune — si, en cas de séropositivité, Georges la lui aurait avouée.

Quand quelqu'un a commencé à mentir, jusqu'où n'ira-t-il pas ?

Un jour qu'il s'était coupé — il lui avait dit, pour expliquer quelque retard, qu'il était allé prendre les enfants à l'école au sortir du bureau ; or, ce jour-là était férié — et qu'elle le lui avait fait remarquer, il l'avait dévisagée d'un air surpris, ajoutant aussitôt : « Pardonne-moi, j'ai la tête tellement farcie... En fait, c'était hier ! »

Et quand elle lui disait, devant son air parfois soucieux : « Tu travailles trop ! », elle se rappelle à présent qu'il ne lui répondait rien, mais la fixait d'un air... Comment qualifier l'expression qu'il avait alors, sinon qu'elle était suspicieuse ? Pensait-il qu'elle devait être au courant et qu'elle se moquait de lui ?

En était-il arrivé là ?

A imaginer que Mélanie, qui l'aimait tant, était capable de rire de lui dans une telle situation ?

Dans ce cas, il était vraiment détruit. Plus le même homme.

Ce qu'il vivait était donc si atroce ? Pour les hommes, sûrement. Plus entreprenants, mais aussi plus fragiles que les femmes. C'est eux, quoi qu'on dise des femmes accablées par la ménopause, qui font un drame métaphysique de l'andropause. Au point de se lancer dans des divorces, des remariages, de concevoir des « enfants de vieux » pour nier le fait qu'ils n'ont plus vingt ans, ni même cinquante.

Ce que Mélanie prenait pour un embêtement devait revêtir pour Georges les proportions d'un cataclysme.

Elle avait beau se dire qu'elle n'était pas coupable de n'avoir rien deviné — il s'était montré si machiavélique pour lui dissimuler la vérité —, elle s'en voulait abominablement.

Comme ces pauvres parents à qui l'on apprend que leur fils se drogue depuis des années et vient d'être arrêté comme *dealer*, ou qu'il est mort d'une overdose. Eux ne se doutaient de rien et, dans leur impuissance, il leur arrive de se détester mutuellement : « Tu aurais dû t'en apercevoir ! — Et toi ? — Moi, je n'étais pas tout le temps à la maison... — C'est bien là ton tort ! »

Quel pas dans l'escalade du mensonge et du malheur avait donc franchi Georges pour disparaître sans même avoir prononcé le mot *chô-mage* ?

Mélanie avait appris la vérité quand quelqu'un du bureau avait téléphoné chez elle pour prévenir officieusement : Georges ne s'était pas manifesté depuis plusieurs semaines à l'ANPE, qui venait de le signaler, et son indemnité allait être supprimée.

Elle avait commencé par penser qu'on se trompait de personne : une erreur d'adresse, une homonymie. Puis elle s'était mise à rire, au point que son interlocuteur avait dû croire qu'elle était folle, ou bien se moquait de lui, et il avait raccroché.

C'était donc ça ! Georges avait été vidé de sa boîte financière, lui qui était convaincu d'y faire des étincelles ? Lui qui avait lui-même procédé à des compressions de personnel, du « dégraissage » ? Et qui — il s'en flattait — l'avait fait avec humanité ? « Ces pauvres gens, il faut les comprendre, que vont-ils devenir ?... Tant qu'ils touchent leurs indemnités, ça va encore, mais quand ils arrivent en fin de droits ? Et puis, tu sais, il y en a qui n'aiment pas se présenter à l'ANPE, ça les humilie... »

Pas une seconde il n'avait envisagé que cela pouvait lui arriver, à lui aussi. En tout cas, il n'avait jamais évoqué l'hypothèse devant elle. Lui, c'était un travailleur de choc, un homme d'efficacité, de réussite. Son bureau avait besoin de lui. Le chômage, c'était pour les autres. Il ne disait pas « les assistés », mais Mélanie avait compris qu'il jugeait qu'une

bonne partie de ses collaborateurs, peu moti-
vés, nullement ambitieux, ne faisaient pas plus
que le nécessaire, plutôt moins.

Il avait parfois dû se dire : « Ça leur appren-
dra à prendre leur boulot à la légère... »

Le chômage apprend-il quelque chose à
quelqu'un ?

Ce qui achevait de blesser Mélanie, c'est de
se dire qu'en la circonstance, leur nouvel
amour n'avait pas compté. Georges avait réagi
comme un homme seul.

25

Ce qu'il y a d'incompréhensible chez Yolande, c'est qu'après avoir fait un éclat, voire un esclandre, elle cède d'un coup. Quelque chose en elle s'est-il lassé ? Ou est-elle revenue à la raison ?

Pour l'instant, assise entre Me Gaurin et Me Ducamp, le commissaire-priseur, elle signe l'inventaire feuille à feuille, sans lire ni regarder, comme si elle s'en désintéressait.

A force de se remémorer les « méchancetés » que lui a faites sa sœur depuis plusieurs années, Mélanie a fini par penser que ce qui la motive n'est pas de gagner ou d'arriver à un meilleur arrangement, c'est de s'opposer.

Quand, mise au pied du mur par la loi ou l'évidence — ce qui prend du temps mais arrive —, elle cesse sa résistance, aussitôt l'affaire ne l'intéresse plus, comme maintenant où elle appose sa signature à l'aveuglette sur tout ce qu'on lui tend.

Toutefois, la guerre n'est pas finie. Que deviendrait Yolande dans la paix ? Peut-être s'effondrerait-elle... Alors, avec son génie de l'embrouille et de la procédure, elle se concocte sur le champ un autre motif de contestation.

Hermine continue à la harceler : « Si tu veux avoir ton train, il faut partir... » Il a été convenu — si Mélanie a bien compris leurs intentions à travers ce qui en est distillé goutte à goutte — que Yolande rentrera à Paris tandis qu'Hermine gardera la voiture pour aller rendre visite à une ancienne amie de classe installée dans la région.

Mélanie se croit quitte de cette dure journée et c'est presque joyeusement — elle a meilleur cœur depuis le coup de fil de Georges — qu'elle embrasse Yolande sur le pas de la porte, tandis qu'Hermine part chercher la voiture. Elle ajoute sans arrière-pensées :

— Bon voyage à toutes les deux !

De la rue, Yolande se retourne et dévoile d'un coup ses nouvelles batteries :

— Je te signale que le testament de Papa n'est pas valable, j'ai l'intention de l'attaquer...

Mélanie croit voir un tombereau de serpents et d'araignées tomber de sa bouche comme de celles des méchantes sœurs de Cendrillon dans le conte de fées.

— Mais tu dérailles ! Papa a fait son testament devant notaire...

— Il n'était plus bien, ces derniers temps, marmonne Yolande, quand même gênée par son propre toupet. Il avait plus de quatre-vingt-dix ans, tu t'en occupais tout le temps. Cela se discute...

— Maman, dépêche-toi !

Hermine est descendue de voiture pour venir la tirer par la manche.

Peut-être la petite n'apprécie-t-elle pas ce coup de Jarnac ? Elle est plus simple que sa mère, meilleure par certains côtés. C'est à elle que Mélanie s'adresse :

— Ta mère est folle ! Dis-lui qu'elle va perdre son temps et de l'argent ! Et pourquoi avoir fait cet inventaire si elle pense que le testament n'est pas valable ?

— Je sais, murmure Hermine, les yeux baissés. Toi et tes amis, vous pensez que Maman est dérangée... Pas moi !

« Je n'aurais pas dû employer ce mot *folle*, se dit Mélanie, il est trop fort. Hermine n'a pas la distance, ni probablement toutes les informations, elle ne peut voir ce que le comportement de sa mère a d'autodestructeur, ni qu'elle zigzague... Il faudrait... »

Mais elles se sont éloignées, leurs talons hauts trébuchant sur les pavés. Mélanie s'en retourne, accablée, vers les officiers de justice :

— Ma sœur veut attaquer le testament !

Mᵉ Gaurin la dévisage un moment, il n'en croit pas ses oreilles :

— C'est un acte passé à l'étude, il est inattaquable, elle se ferait rejeter par n'importe quel tribunal...

— Elle s'en fiche, dit Mélanie qui se laisse tomber sur un siège, épuisée. Tout ce qu'elle veut, c'est retarder. Brouiller. Compliquer...

— Mais pourquoi ?

Mélanie s'entend murmurer :

— Pour ne pas se couper de moi...

— Quoi ? s'exclame le notaire.

— Tant qu'elle est en litige avec moi, nous ne sommes pas séparées : il y a encore des papiers à échanger, des raisons de se rencontrer. Je crois que ma sœur trouve que s'injurier vaut mieux que rien...

Elle a envie de pleurer. Le notaire le perçoit-il ? Il reprend sur un ton plus doux, presque affectueux :

— Ne pourrait-elle vous fréquenter dans de meilleures conditions ?

— Bien sûr, répond Mélanie, mais elle refuse le plaisir d'être ensemble. Elle m'en veut tellement, elle ne sait même plus de quoi... Elle s'est embrouillée dans ses sentiments... Et maintenant elle est perdue. Perdue...

Et Mélanie, n'est-elle pas perdue, elle aussi ? Ne sachant plus qui elle aime, ni pourquoi ?

— Je m'en suis aperçu, dit le notaire. Au début, Mme Vendorme voulait tout inspecter ; à la fin, elle ne regardait même plus ce que nous faisions et elle a signé l'inventaire sans le relire. Heureusement que Me Ducamp a, comme d'habitude, fait son travail en conscience... Un drôle de cas, votre sœur.

— Je sais, murmure Mélanie.

Pourquoi ne peut-elle s'empêcher de l'aimer ?

— Ne vous inquiétez pas pour le testament, il est fait et bien fait, cette maison est à vous, avec tous les meubles.

— Oui, reprend rêveusement Mélanie.

Elle aurait tellement aimé que la maison fût à elles deux, ainsi qu'à Hermine. Posséder un lieu, l'arranger pour soi seul n'a pas de sens. Elle n'a pas d'enfant, elle n'a même plus Georges.

— Les héritiers sont souvent comme ça, intervient M\ :sup:`e` Ducamp en repliant sa serviette ; ils se disputent sur des babioles, de vieilles photos, des garde-robes bonnes pour la fripe... Une fois que les lots sont attribués, parfois par voie de justice, vous savez ce qui arrive ? Ils s'en font réciproquement cadeau ! Ou alors, ils appellent les petites sœurs des pauvres, les pèlerins d'Emmaüs, et leur abandonnent le tout...

— Ils avaient besoin de se disputer ?

— Peut-être qu'ainsi ils voient moins l'horreur de la mort, murmure le commissaire-priseur comme pour lui-même. Se quereller fait diversion : c'est une façon de montrer que soi-même, au moins, on est vivant.

— C'est vrai qu'ils aiment être fâchés, confirme M\ :sup:`e` Gaurin.

On devine, à son ton, que tirer son pain quotidien de l'incohérence humaine lui est devenu naturel.

« Est-ce que je suis fâchée avec Georges ? » se demande à présent Mélanie.

26

A la première tentative suivie d'échec, Mélanie n'a pas été tout de suite en alerte. Après
tout, il y avait de quoi ne pas se sentir dans son
assiette. Pour lui comme pour elle. Leurs re-
trouvailles avaient été si imprévues...

Georges sonne un soir chez elle, il est hâve,
pas rasé. Mélanie a le sentiment d'ouvrir sa
porte à un fugitif. A tel point qu'en la refermant, elle vérifie s'il n'est pas suivi !

— J'arrive tout droit de Roissy, j'ai loué une
voiture à ma descente d'avion, lui jette-t-il en
guise de bonjour.

— Tu dois être épuisé, dit-elle avant de le
serrer dans ses bras.

De fait, il sent le voyageur qui a besoin d'une
douche.

Toutes sortes d'idées lui viennent à la fois : il
aurait pu la prévenir, elle risquait de ne pas
être là, ou occupée à recevoir. Elle devrait
mieux l'accueillir, déclarer : « Je suis heureuse
que tu sois là », mais elle n'y parvient pas. Et sa
femme, l'a-t-il prévenue ? D'ailleurs, pourquoi
revient-il ? Pour vivre avec Mélanie ou pour lui

dire définitivement adieu ? Elle ne réussit qu'à articuler ce qu'elle dirait à n'importe quel visiteur :

— Tu as soif ?

— Je prendrais bien un verre de vin. Les derniers kilomètres ont été durs, je m'endormais au volant ! A cause du décalage horaire, pour moi c'est la pleine nuit : j'ai fait Shanghai-Paris d'une seule traite.

— Mon pauvre...

Le plaindre, c'est tout ce qu'elle peut. Elle aussi se verse un verre de vin rouge, agréablement frais.

En buvant, il parcourt des yeux la pièce.

— Ce que c'est beau, chez toi !

— Beau, comment peux-tu dire ça ! Tout est décati, à refaire, les lames du parquet se soulèvent, les murs s'écaillent...

— C'est tout cet espace qui m'impressionne. En Chine, j'ai vécu dans quelques mètres carrés. Dans l'avion aussi... C'est la première fois depuis longtemps que je peux m'étirer...

Il repose son verre, joint le geste à la parole et Mélanie, enfin, le voit sourire.

— Ton père ? demande-t-il soudain.

— Il est mort il y a quelques mois.

— Je suis désolé. Je ne sais pourquoi, je m'en doutais. Alors tu vis ici ?...

— Oui, seule. Il m'a légué la maison. Ma sœur me fait des histoires à propos du testament.

Georges éclate de rire :

— Ta sœur est une garce, elle te jalouse, je te l'ai toujours dit !

Pourquoi les histoires de famille font-elles toujours rire, alors qu'elles peuvent se révéler si douloureuses ? Même Georges tombe dans le travers commun...

— Ce n'est pas drôle, tu sais, c'est même très pénible. Rappelle-toi quand Marie-Louise te faisait des scènes...

Mélanie n'a pas voulu être agressive, mais elle n'a pu l'éviter. Pourquoi aussi se contente-t-il de se renseigner sur elle et ne lui dit-il rien sur lui ?

Georges se cale sur le vieux divan, là où avait été disposé un lit, les derniers mois, où son père est mort.

— Je peux coucher ici cette nuit ?

— Georges, voyons, bien sûr..., murmure-t-elle sur un ton de reproche.

Il n'y a donc plus rien entre eux ?

— Je te remercie.

Il laisse aller sa tête contre le dossier du divan. Ferme les yeux. Arrive la première phrase de confidence :

— J'ai cru que je ne m'en sortirais pas.

« Bon, nous y sommes, se dit Mélanie, il est venu pour ça : me raconter, faire le point. Je n'ai qu'à écouter. »

Elle s'est trompée : en réalité, cet homme lui fait confiance.

27

Alors Mélanie s'est mise à rire doucement, tendrement, sans proférer un mot. Toute parole aurait été malvenue.

C'est toujours ainsi en pareil cas : l'homme est « réduit au silence » par son impuissance, ce qui fait qu'en prenant la parole, la femme fait acte de supériorité. Cela ne peut qu'aggraver la situation, même si l'homme, dans un accès de masochisme souhaiterait que sa partenaire s'impose.

Le mieux est de s'en tenir aussi au silence et à l'immobilité. Pas commode : elle a envie de remuer un bras, de dégager une jambe, mais ce serait pris pour une esquive. Mal venu aussi d'allumer une cigarette, de se verser à boire, d'aller voir le temps qu'il fait par la fenêtre, enfin de changer d'occupation. Pourtant, la tension suscitée par les caresses n'étant pas dénouée par le plaisir, ce qu'elle se sent nerveuse !

C'est Georges qui parle le premier, en fait pour ne rien dire :

— Eh, bien voilà !

Mélanie grogne un peu pour signifier qu'elle a entendu, mais ne répond pas. A Georges de mettre des mots, *ses* mots sur la « panne ».

— Dieu sait si j'en avais envie...

— Il n'y a pas que Dieu qui le sait, moi aussi ! souffle Mélanie dans son cou. D'ailleurs tu en as encore envie !

Elle pose sa main sur le sexe de l'homme, qui demeure inerte.

— Envie, mais pas les moyens !

Il se retourne pour échapper à sa caresse, tâtonne sur la table de nuit à la recherche d'un paquet de cigarettes absent, s'asseoit sur le rebord du matelas, puis se lève, se dirige vers le fauteuil sur lequel il a jeté ses vêtements, enfile son T-shirt.

— C'est le résumé de ma vie : envie, mais pas les moyens ! Pareil dans tous les domaines...

Mélanie est sur le point d'acquiescer pour lui accorder qu'en tout cas il est lucide. Elle se rattrape à temps : ce serait entériner l'échec, et ce n'est pas à elle de le faire. Elle doit aussi se retenir pour ne pas dire : « Ça n'a pas d'importance... Ça s'arrangera tout seul... Ne t'en fais pas, il y a autre chose dans la vie... »

Cet homme est atteint au plus profond, même s'il ne gémit pas — ironise plutôt :

— J'aurais mieux fait de rester là où j'étais...

Là, elle trouve la réplique :

— Je suis contente que tu sois là !

— Je me demande vraiment pourquoi...

Le moment est venu de le faire parler de ce qui s'est passé :

— A propos, où étais-tu, tu ne m'as rien raconté ?

— C'est une longue histoire...

— On a le temps !

— Effectivement, on n'a rien d'autre à faire !

— Tu sais très bien ce que je veux dire : rien ne nous presse...

Elle manque d'ajouter : « C'est le week-end, je n'ai pas de rendez-vous avant lundi, on n'attend personne... » Elle se retient encore : Georges doit se reconstituer avec ses mots à lui, pas par les siens.

Bien sûr, elle aurait envie de le prendre dans ses bras, de le prendre en mains. Mais elle a vu ce que cela donnait quand elle l'a fait par ses caresses : il y a des moments où un homme n'a pas besoin d'une femme... mais d'un homme, de l'homme en lui — qui, pour l'instant, lui fait défaut.

Durant cet échange, Mélanie s'est extraite du lit et rhabillée sans traîner : le nu n'est pas de rigueur. Machinalement, Georges en fait autant. Il enfile son pantalon, chausse et noue ses baskets. Ils se retrouvent à la cuisine où Mélanie met en marche la cafetière électrique.

— C'est à cause d'Antoine ! Je t'en ai parlé ? Cet ami de classe que je revoyais de temps à autre et qui a monté des affaires là-bas...

— Où ça ?

— D'abord à Hong Kong, où sont installés ses bureaux. Maintenant, il pénètre sur le continent. Je l'ai rencontré par hasard. Enfin, pas vraiment... Nous avions rendez-vous pour déjeuner le jour où... le jour où j'ai reçu ma démission. J'ai voulu le décommander, mais je n'ai pas pu le joindre ; alors j'y suis allé...

Mélanie le reprend doucement :

— Ta *démission* ?

— Tu as raison, ce n'est pas exact : je n'ai pas démissionné, j'ai été mis à pied, renvoyé, foutu sur le pavé...

Le ton s'est durci. Après tous ces mois, la blessure est restée à vif.

— Il a été ignoble...

— Qui ?

— B.G., le grand patron.

— Il te l'a signifié lui-même ?

— Oui et non, tu sais comme ils sont lâches ! Plus ils sont au sommet, plus ils sont lâches !

Mélanie se dit : « Ce ne doit pas être facile ! Le patron reste en fonction, avec tous ses privilèges, son salaire, et il envoie quelqu'un au bain... C'est comme le radeau de la Méduse : il faut couper les mains de ceux qui s'accrochent... Il y a des gens sensibles qui doivent répugner à faire la besogne eux-mêmes, ils la laissent faire à d'autres...

Elle se tait et se tourne vers la paillasse sur laquelle elle achève de préparer le plateau : tasses, pain grillé, beurre, confiture. Qu'il parle !

— B.G. m'a convoqué un matin dans son bureau. Je voyais bien que Ginette, sa secrétaire, faisait une drôle de tête. Je pensais qu'il y avait des problèmes et que B.G. voulait les examiner avec moi. C'était arrivé plus d'une fois et je lui avais fourni des solutions. C'est d'ailleurs ce qu'il m'a sorti en premier : qu'il butait sur un "problème", ce qui fait que je n'ai pas compris tout de suite où il voulait en venir, ni que le problème, c'était moi. Le lâche !

Mélanie dépose le plateau entre elle et lui. Sourit comme si ce que recouvrait le mot « lâche » ne l'étonnait pas : d'un patron, qu'attendre d'autre ?

Elle verse le café dans leurs tasses, pose la sienne devant Georges, qui la saisit.

— Attention, c'est chaud !

Georges repose le récipient de porcelaine, l'entoure de ses deux paumes comme pour se réchauffer.

— Il a commencé en me déclarant : « Mon cher Devrières, je suis embêté. Il y a des problèmes, d'énormes problèmes... Mais asseyez-vous. » Je me suis assis, j'avais une tête de circonstance, j'attendais gravement, la suite. Déjà, je réfléchissais à ce qu'on allait pouvoir comprimer : certains services inutiles, des frais dispendieux ; surtout, je pensais aux nouveaux domaines à explorer. Cela faisait un moment que je disais qu'il fallait remanier le service commercial, qu'il manquait de dynamisme. Avec l'expansion, on avait pris l'habitude d'attendre le client, les commandes, les contrats. Fini, cette belle époque ! Maintenant, il fallait aller au devant de la demande, la solli-citer, la créer. Pour ça, de nouveaux réflexes étaient nécessaires. J'avais envoyé rapport sur rapport sur ce point, sans jamais obtenir de réponse. Les lisait-il ?... Je vais te dire quelque chose d'idiot : à cet instant-là, j'ai cru que B.G. les avait enfin lus, mes rapports, et qu'il allait me charger du changement de politique à l'intérieur de la boîte. Me promouvoir afin que je ne m'occupe des nouvelles directions à prendre... Je m'en sentais tout à fait capable ! Une seule chose m'arrêtait, tu sais quoi ?

— Non.

— Je me suis dit dans un éclair : « Ça va être un énorme travail et je risque d'avoir moins de temps pour Mélanie. » Tant pis, elle comprendra, c'est la guerre... La guerre économique !

— J'aurais compris.

— Mais ce n'est pas du tout ce qui s'est passé ! B.G. a continué à me sortir des banalités, des généralités... Son malaise s'est communiqué à moi, je me disais : « Où veut-il en venir ? », je n'arrivais même pas à lui poser des questions pour en avoir le cœur net. J'attendais comme un con. Soudain, l'interphone a sonné... Imagine-toi que, pour se débarrasser de moi, ce salaud a utilisé le plus vieux moyen du monde depuis qu'il existe des entreprises et des directions générales : il avait dû demander à Ginette de l'appeler au bout de cinq minutes et c'est sans doute pour cela qu'elle avait fait une si sale tête en me voyant, elle m'aimait bien, Ginette, cela devait lui déplaire, ce coup tordu ! Et voilà B.G. souriant, décontracté, de nouveau à l'aise, qui me dit : « Georges (il m'appelait soudain par mon prénom !), il faut m'excuser, mais le rendez-vous que j'attendais vient d'arriver avec quelque avance. Je dois le recevoir tout de suite vous comprenez, c'est la banque... » Sans me préciser laquelle : tu penses, je les connais toutes, directeurs y compris, et j'aurais pu tiquer. Il se lève de derrière son bureau, va vers la porte où je n'ai plus qu'à le suivre : « Sanglion vous expliquera la suite, allez le voir. Il est au courant... Merci, hein ! »

Cette fois, Georges prend une gorgée du café devenu buvable.

— *Merci* ! C'est le seul mot juste et vrai qu'il ait prononcé : il me *remerciait*... Comme me l'a appris Sanglion, le chef du personnel, dans les minutes qui ont suivi.

— Mais c'est affreux, dégoûtant ! Tu devais être dans un état !

— C'est comme lorsqu'on reçoit un grand choc a l'improviste : j'étais anesthésié. Je n'y croyais pas encore et je me disais : « Ils ne sont pas imbéciles à ce point ! C'est une erreur, ils vont revenir là-dessus... » Tu vois, je les trouvais plus stupides que salauds. Je savais que j'étais le seul à pouvoir les aider à reprendre les choses en main, à enrayer la glissade vers le dépôt de bilan, et ils me vidaient ! Bizarre...

Georges tend la main vers le pain grillé, se beurre une tartine, la trempe dans sa tasse de café où le beurre chauffé fond et fait des « yeux ».

— Mais pourquoi... ?

Mélanie s'arrête.

— Pourquoi je ne t'en ai rien dit, sur le

coup ? Je ne pouvais pas, Mélanie... J'étais tellement...

Des larmes lui sont montées aux yeux, coulent le long de ses joues. Le mot vient en sourdine : — humilié...

Georges sourit, essuie ses joues au revers de la main.

— C'est bête, hein ?

— Non, dit Mélanie.

28

Leurs journées sont ponctuées par deux moments difficiles : l'heure de la sieste, celle du coucher.

Le matin, Mélanie se lève la première, prépare le petit déjeuner, allume le plus de lampes possible dans la maison pour y créer un air de fête. L'apparition de Georges en peignoir, attiré par l'odeur de café, le cheveu ébouriffé, l'œil à demi fermé, l'émeut toujours.

Il sourit, la serre contre lui, passe une main preste, indiscrète, par l'entrebâillement de son survêtement. Mélanie se dérobe comme s'il s'agissait de lui échapper. En réalité, elle sait que ces approches ne sont que virtuelles depuis qu'elle a cru bon, un matin, d'y céder, et, le prenant par la main, de l'entraîner au lit. Pour un nouvel échec.

De même après déjeuner, s'il leur arrive de faire la sieste, et, bien entendu, le soir. Au bout d'un moment, elle choisit de faire comme si cela n'existait pas, la sexualité, les étreintes. Elle prend une lecture, embrasse Georges sur l'épaule, dans le cou, sur la tempe, puis se plonge dans son livre, pour éteindre la petite lampe de son côté dès qu'elle sent le sommeil venir. Elle lui dit bonne nuit, se retourne de son côté, feint de s'endormir. En fait, songe, ressasse.

Un peu plus tard, Georges éteint à son tour. Ou bien se lève, passe dans le bureau, elle l'entend tisonner pour rallumer le feu dans la cheminée, feuilleter des journaux, des magazines, parfois mettre la télévision, la radio. Sans doute songe-t-il, lui aussi.

La première fois, Mélanie s'est relevée pour lui demander s'il voulait une infusion, un jus de citron chaud. Après un brusque refus de la main, Georges lui a lancé un tel regard qu'elle a compris qu'il ne désirait pas sa présence. Alors elle lui a « fichu la paix », comme elle se l'est dit.

En dehors de ces moments difficiles — mais quel vieux couple ne vit pas ainsi, dans la chasteté, sans plus même penser au sexe ? Reste qu'ils ne sont pas un vieux couple... —, la journée se passe bien. Mélanie s'est remise à son travail de traduction et s'isole plusieurs heures par jour dans la petite pièce, autrefois lingerie, où elle a installé son ordinateur et ses papiers. Celle qui a tant écœuré Yolande...

Georges va et vient, faxe, téléphone.

Elle a remarqué qu'il ne lui confie ce qu'il fait que lorsque c'est accompli. Dire : « Je vais faire ci ou ça » lui ôterait-il l'énergie de l'accomplir ? Ou craint-il que quelque chose ne marche pas, de ne pas pouvoir supporter un échec supplémentaire, même minime ? Elle l'entend pester pour un « pas libre », une attente trop longue au bout du fil, la fin de la réserve de papier dans le fax. Ces petits travers de la vie quotidienne ne l'affectaient pas, autrefois, pour autant qu'elle s'en souvienne. Désormais, il n'a plus de patience. Ni de confiance en lui. Pas plus que dans la vie.

Mélanie ressent son état comme un étau dans lequel elle aussi se sent prise. Elle a souvent le cœur serré, elle se surprend à son tour à hésiter devant une action facile, de peur de n'y pas réussir. A se refuser d'agir, une formule de Samuel Beckett lui revient en mémoire : « Ne faisons rien, c'est plus sûr ! »

Elle décide alors que cela suffit comme ça, la mortification : ce n'est pas elle qui est au chômage, ce n'est pas elle qui s'en punit par l'impuissance sexuelle !

Car elle en est certaine : Georges se rend impuissant *exprès* ! Pour montrer et se montrer qu'il est bon à rien... Il en souffre, certes, mais elle aussi en pâtit. A-t-elle mérité ça ? Ils ne sont même pas mariés.

On dit qu'aimer c'est partager, mais, lorsqu'on entre « en amour » avec quelqu'un, on n'imagine pas un instant ce que l'autre va vous infliger. « Pour le meilleur et pour le pire », avertit le prêtre à l'église en accordant le sacrement. A ce moment-là, on ne voit et n'envisage que le meilleur...

— Je te dérange, tu travailles ? dit Georges en passant subitement la tête par l'entrebâillement de la porte.

— Je travaille, mais tu ne me déranges jamais, tu sais bien !

— Alors je peux te parler ?

— Bien sûr.

— Il faut que j'aille à Paris.

— Très bien. Tu veux que je t'accompagne ?

— Non, je prendrai le train en fin d'après-midi. J'ai d'ailleurs retenu ma place par minitel. Sourire d'enfant : J'ai fini par y arriver... Je suis le dossier QYZWRR !

— Quelle mémoire !

— J'en avais, avant...

— Avant quoi, exactement ?

— Avant tout.

Ils ont échangé quelques passes d'armes, mais il ne lui a pas dit ce qu'il allait faire à Paris, ni quand il reviendrait.

Mélanie se lève. Elle ne se hasarde pas à le relancer sur ses projets. « Il se conduit comme un adolescent : il ne veut pas se confier, mais si on ne lui demande rien, il finira par lâcher le morceau au moment le plus inattendu. Peut-être est-il en train de grandir à nouveau et va-t-il rattraper son âge réel ?... »

Tout de même, elle aimerait savoir s'il compte revenir... ou pas !

C'est sur le quai de la gare, où Georges a accepté que Mélanie le conduise en voiture, qu'il « lâche le morceau » :

— Je vais voir Antoine. Il est à Paris pour quelques jours et a quelque chose à me proposer.

Ici ou ailleurs ?

Mélanie ne le demande pas. Et ses enfants, compte-t-il aller les voir ? C'est par la portière qu'il lui lance l'information :

— Ne t'inquiète pas si je ne rentre pas pour le week-end, je vais tâcher de voir les enfants et de les sortir...

Mélanie sourit largement :

— C'est bien, fais-le, je t'attends.

Une fois que le train s'est ébranlé, Mélanie s'en retourne lentement vers sa voiture : c'est dur de traiter un homme adulte comme s'il s'agissait d'un demeuré. Elle a envie de crier de rage.

Décidément, elle n'a pas de chance avec les hommes. Elle met la voiture en marche, recule si violemment qu'elle manque d'emboutir un autre véhicule. Le chauffeur, un homme, la considère avec reproche, hoche la tête, puis passe son chemin.

Il doit se dire : « Les femmes au volant, qu'elle engeance ! »

Et les hommes au volant de la vie ?

29

« La » Yolande — c'est ainsi qu'à part soi, Mélanie surnomme parfois sa sœur — a suivi sa dernière fantaisie : elle est allée voir son notaire parisien pour lui dire que, testament ou pas, elle voulait sa part de meubles.

Mélanie avait déjà prévu de lui en accorder quelques-uns — sans qu'elle y soit contrainte : ils lui sont légués et elle en a payé les droits —, mais il est normal, pense-t-elle, que sa sœur possède des souvenirs de son père.

Pas trop, car elle sait trop bien ce que sa sœur a l'intention d'en faire : les vendre à l'encan ! Afin d'affirmer sa domination. Ainsi est « la » Yolande, cherchant par tous les moyens à se donner une importance qui lui échappe.

Avertie, Mélanie s'est sentie bouillir : « Puisque c'est comme ça, Yolande n'aura que son dû, je ne lui ferai pas de cadeaux ! » Son notaire parisien le lui a confirmé : « Les actes sont parfaitement en règle, votre père avait tout prévu : sa volonté est que vous héritiez de ses biens mobiliers et votre sœur des liquidités et valeurs bancaires. »

Le vieux monsieur, qui avait eu l'occasion de ruminer, les derniers temps, ne voulait pas que ses souvenirs, papiers, livres, accumulés à travers trois générations et qu'il s'était employé, depuis la mort de son propre père, à classer, ranger, conserver, finissent droit à la poubelle.

« Aucun intérêt », aurait tranché Yolande devant ces vieilleries sans utilité immédiate. Elle s'était découverte quand Édouard avait voulu lui donner, en avancement d'hoirie, un petit bureau d'acajou : « Il a appartenu à ton grand-père et à ton arrière-grand-père, lui avait-il dit avec émotion, tu peux le prendre dès à présent, Mélanie est d'accord. »

« Ces gens-là, je ne les connais pas... », avait-elle répondu en refusant le don.

Mélanie avait trouvé Édouard immobile et pensif devant le bureau en question. Ce qui n'était pas dans ses habitudes ; le seul fait de se trouver face à ses papiers ravigotait le vieil homme, et tant qu'il put tenir debout, ou plutôt assis, il ne perdit pas une minute : il tenait ses comptes, lisait le journal, parcourait son courrier, y répondait, rédigeait un brin de mémoires. Comme la pièce était au rez-de-chaussée et qu'on ne tirait plus les rideaux de la fenêtre près de laquelle il était assis, afin qu'il pût bénéficier de la lumière du jour, des passants amis disent encore aujourd'hui à sa fille : « Ah, votre père, on le voyait toujours à son bureau en train de travailler... »

Ce matin-là, exceptionnellement, il ne faisait rien.

— Qu'as-tu, Papa ? lui demanda Mélanie, inquiète.

Sans répondre, Édouard lui tendit la lettre de Yolande et la fixa tout le temps que lui prit sa lecture. S'y trouvaient quelques considérations sur le temps, ses projets de déplacement (ailleurs que vers son père), puis elle tomba sur la fameuse phrase : « Ces gens-là, je ne les connais pas... » Quand Mélanie, sidérée, releva la tête, ses yeux rencontrèrent ceux de son père, pleins de larmes. Les siens s'en emplirent également.

Mélanie se reprit pour décréter d'une voix ferme :

— Puisqu'elle n'en veut pas, je le garderai, ce pauvre bureau. Et j'en prendrai bien soin, ne t'inquiète pas.

— Je sais, dit Édouard. Je te remercie de tout ce que tu fais pour moi.

Le lendemain, il convoqua Mᵉ Gaurin pour quelques autres arrangements dont Mélanie n'eut vent qu'après sa mort : il confiait à sa charge tout ce qui ressortissait aux « choses », c'est-à-dire laissé par « ces gens-là ».

Bien entendu, il n'y aurait pas d'argent, ou presque, l'équivalent monétaire des biens allant à Yolande.

— C'est un cadeau empoisonné que vous a fait votre père, commenta le notaire à l'ouverture du testament. La maison a besoin de réparations, les meubles sont dans un fichu état, et tous ces papiers qui vont vous encombrer...

— Je sais, répondit Mélanie en souriant. Ça ne fait rien, je me débrouillerai...

Comme elle l'avait déjà observé, tous ceux qui travaillent sur le passé, historiens, archéologues, conservateurs, sont des gens heureux, en tout cas sereins. On se dit : « C'est qu'ils n'ont pas de soucis, ils sont souvent fonctionnaires, ils peuvent se permettre de vivre dans l'ailleurs... » Le vrai secret est que les hommes et femmes disparus auxquels ils pensent quotidiennement, dont ils recueillent les traces, ressuscitent le genre de vie, déchiffrent les écrits, les inscriptions, se tiennent en permanence à leurs côtés, puissances invisibles et bénéfiques.

Mélanie se souvient de la première nuit qui suivit la mort d'Édouard. Ne pouvant dormir, elle se leva subitement et marcha au hasard dans la petite ville. Il devait être trois heures du matin, elle n'entendait que son pas qui résonnait à travers les rues d'habitude si animées. Elle avait le cœur étreint, mais, quand elle levait la tête, le ciel était dégagé et plein d'étoiles.

Elle ne pleurait pas, elle se sentait trop anéantie pour les larmes. D'autant qu'elle avait à combattre pour rester en vie : au dernier souffle d'Édouard dont elle tenait la main, elle avait failli partir avec lui. Si elle ne s'était pas dit, si une voix en elle n'avait pas murmuré : « Ton heure n'est pas encore venue », c'est sans regret qu'elle eût abandonné cette vie pour suivre son père. Dans un élan presque joyeux : il lui montrait le chemin, comme si souvent lorsqu'elle était petite, à travers champs, dans la mer où il lui avait appris à nager, et qu'elle allait, confiante, derrière lui.

Avec lui, tout paraissait si facile.

Cette fois, Mélanie s'est reprise, elle est repartie vers l'arrière. Sa tâche sur terre n'est pas terminée, elle tricherait en levant le pied avant l'heure.

Malgré ce sursaut, le désir de ne pas se séparer de son père persistait, peut-être aussi celui d'échapper à la douleur qui l'attendait, elle le pressentait, au fil des nombreux jours à venir. Pendant qu'elle avançait dans la nuit, sur ces lieux qui avaient été leur commun domaine, Mélanie maintenait les bras croisés sur sa poitrine, comme pour veiller à ce que son cœur y restât.

Quand elle retourna vers la maison où reposait le corps, elle manqua pousser un cri : la demeure lui paraissait illuminée, une brume phosphorescente en émanait.

Plus tard, elle se dirait que ce devait être l'aube qui se levait à ce moment-là. Les premières lueurs du jour.

Mais elle le prit d'abord pour un appel, un signe que lui adressaient, à travers les vieux murs, tous ceux de son sang qui avaient résidé dans l'ancienne demeure, qu'elle les connût ou non par leurs noms, leurs photos, leurs portraits.

A partir de cet instant, Mélanie comprit ce qu'elle devait faire et comment se conduire.

Une douleur, toutefois, la tenaillait : elle n'avait rien pu partager avec Yolande, ni la mort de leur père, ni la transmission de sa mémoire.

Yolande s'était mise hors-jeu.

Si elle voulait faire du mal à sa sœur, elle n'aurait pu trouver mieux que cette indifférence à ce qui, pour Mélanie, était devenu l'essentiel : leurs ancêtres, que Yolande désignait comme ces « gens-là »...

Elle refusait ses racines, se voulait née d'elle-même, par génération spontanée.

« Quel orgueil ! » songeait Mélanie.

Mais personne ne peut se passer d'origines, et Yolande, par une sorte de retournement sur soi-même, était cramponnée à sa fille. Laquelle était devenue à la fois son père et sa mère, sans que ce fût dit ni même perçu par aucune.

Est-ce pour cela qu'Hermine, indispensable à sa génitrice, ne pouvait plus aller de l'avant ?

30

Mélanie s'est presque fâchée :

— Enfin, Georges, imagine que je n'aie pas été là, tu te serais retrouvé à la porte !

Cette fois encore, il lui a fait le coup de débarquer chez elle sans l'avoir prévenue.

Elle se retient d'ajouter : « Je ne suis pas obligée de rester ici toute la journée à t'attendre ! » Mais c'est implicite.

— Eh bien, je serais allé à l'hôtel, ou bien je me serais assis sur les marches jusqu'à ton retour...

La voix est froide, presque indifférente, et Mélanie s'inquiète. Serait-il en train de tourner au suicidaire ? On n'est jamais assez attentif avec les proches.

La douceur, ce qu'il y a de plus difficile : la preuve, il faut qu'elle s'y contraigne, même avec cet homme qu'elle aime. Le cœur humain est naturellement barricadé.

— Que s'est-il passé ?

— Rien.

Que signifie ce « rien » ?

— Tu n'as pas vu tes enfants ?

— Si.

— Cela, c'est important !

— On n'avait rien à se dire. Avec Marie-Louise non plus. Tu comprends, ils auraient voulu que je les sorte, les emmène dîner, leur offre des cadeaux...

— Et alors ?

— Alors, je n'avais pas d'argent, jette-t-il d'une voix grinçante, et il se laisse tomber sur le canapé, les mains pendantes, la nuque contre le dossier, les yeux au plafond.

— Mais tu n'avais qu'à m'en demander, je t'en aurais donné ! Enfin, prêté..., rectifie-t-elle, sentant la gaffe.

Trop tard, Georges se redresse, la fusille du regard :

— J'étais sûr que tu dirais ça !

Douceur de cœur ou pas, il commence à l'agacer.

— C'est un crime ?

L'homme reste silencieux, secoue la tête, fait un geste vague des deux mains.

— Sans domicile fixe, sans compte bancaire... Je suis un *sans*...

— Et ton ami Antoine ?

— Rien.

— Enfin, Georges, ça n'existe pas : rien ! Il se passe toujours quelque chose... Il t'a demandé de repartir en Chine et tu as refusé, c'est ça ?

— Quand je dis rien, c'est rien ! Je parle encore le français, même si je suis au chômage !... Il m'a expliqué, avec beaucoup de précautions, qu'un seul « vieux » dans une entreprise, ça suffit amplement... Le vieux, c'est lui, puisqu'il a mon âge et qu'il est le patron ! En plus, les Asiatiques — c'est vrai, je l'ai constaté — n'apprécient que les jeunes. Pour eux, les vieux, même si on les respecte comme des sages, ont fait leur temps et doivent laisser la place aux nouveaux, qui seuls auraient suffisamment de sang pour se montrer dynamiques. Les anciens rabâchent, ne peuvent plus se lever le matin, manquent d'élan vers l'avenir, racontent que le passé était mieux... Bref, tout mon portrait !

Mélanie ne sait plus que répondre : ce que Georges vient de dire n'est pas faux, malheureusement. Quand un homme d'âge n'est pas aux commandes, il n'est plus aussi rentable qu'un jeune à la fois plus cher et moins souple. Sauf à être un artisan qui s'est acquis une main, un regard.

Justement, Georges en a un, de regard, sur l'économie, la société, le travail, la finance. Quand il en parlait, autrefois, prévoyant les changements, invoquant la nécessité d'une mutation, il était remarquable. Comment se fait-il que personne ne cherche à utiliser ce talent-là ?

— Antoine ne t'a rien proposé ?

— Non. Ou plutôt si : quelque chose de minable.

— Quoi ?

— De lui faire des rapports. Une sorte de revue de presse... Il m'a dit qu'il n'avait pas le temps de se tenir informé et que les jeunes

autour de lui ne savaient pas lire les journaux... Les jeunes ne sont pas bons à tout !

— Il te paierait ?

— Oui. Je me suis demandé si ce n'était pas
par charité...

— Enfin, Georges, tu n'en es pas à la soupe
populaire !

— Si, imagine-toi : ce que je touche encore
du chômage me sert tout juste à payer la pension des enfants et de Marie-Louise. Pour le
reste, c'est toi qui m'entretiens depuis mon
retour, tu le sais aussi bien que moi.
Remarque, il y a un espoir...

— Lequel ?

— Dans un an, si je tiens jusque-là, je vais
pouvoir demander ma préretraite... Parce que
le comble, dans tout ça, c'est que je ne suis pas
encore assez vieux pour être totalement entretenu par la société !

— Georges, toucher sa retraite, ce n'est pas
être entretenu !

— C'est quoi, alors ? Ce ne sont pas les
fameux jeunes en activité qui paient les
retraites ? On nous le rabâche assez...

— Tu oublies que tu as cotisé toute la vie !
Tu l'as payée d'avance, ta retraite ! C'est avec
ton argent que la société a investi, fait des
travaux, préparé l'avenir...

— Tu veux dire qu'elle a foutu mon argent en
l'air dans des armements devenus obsolètes,
des pots-de-vin aux petits chefs du tiers-
monde, de grands travaux inutiles... Mon
argent, pffuitt ! Voilà ce qu'ils en ont fait ! On
repart à zéro !

Face à l'absurdité du monde et de ceux qui le gouvernent, il est vrai que la raison ne l'emporte plus. Si Mélanie se laisse entraîner, Georges va la moucher à tous les coups et finira même par la convaincre, comme dans certaines sectes, que le suicide collectif est la solution la plus sage !

— Georges, c'est toi qui me l'as dit...

— Quoi ?

— La société est en mutation...

— Peut-être...

— Tu m'as expliqué qu'une mutation, c'est comme une révolution, ça ne se fait pas sans victimes. Mais...

— Tu veux me faire dire que je suis tombé du char de l'État moderne et que je n'ai qu'à me tenir coi sur le bord du fossé, en attendant d'y rouler ?

— Tu ne m'as pas laissée aller au bout... Tu répétais que la mutation doit se faire à l'intérieur des individus, pas seulement dans leur genre de vie.

— Tu veux que je mute ? A mon âge ?

— Georges, chéri, je ne veux rien du tout. Je te rappelle seulement qu'il y a toujours de l'espoir, quelque chose à faire, dans toutes les situations, même quand elles sont beaucoup plus extrêmes que la tienne, et que c'est toi qui me l'as appris.

— Je ne suis pas dans un camp de concentration, c'est exact...

— Par exemple.

— Ni en prison.

— Non plus.

— Ni sous un bombardement.

— Il me semble.

— Je n'ai pas le sida.

— A ma connaissance...

— Je peux te rassurer là-dessus ! Je suis seulement au chômage...

— Voilà.

— A cinquante ans tout juste passés...

— Tu en as, des années d'activité devant toi ! De quoi changer le monde, en tout cas le tien...

Georges se lève, ce qui fait que Mélanie s'empresse de se rasseoir pour lui laisser la place de déambuler.

— Tu as remarqué ? dit-il, les mains dans les poches de son pantalon.

— Quoi ?

— Age et chômage, ça rime !

S'il recommence à s'intéresser aux mots et à en jouer, occupation à laquelle il excelle, c'est que Georges est — un peu — reparti. D'ailleurs, il reprend :

— Si tu me donnes des œufs, du beurre et du râpé, je vais te faire une de ces omelettes !

— Allons-y ! s'exclame Mélanie. Pendant ce temps, j'ouvrirai la bouteille de vin.

— Laisse-moi faire avec le vin, tu vas trop vite et tu gâches tout ! Tu n'ôtes pas la capsule, tu ne verses pas assez doucement la première goutte, celle qui a pris le bouchon... Non, mets le couvert, femme, ça suffira !

31

Cela ne s'est pas arrangé. Au lit, du moins. Après d'autres tentatives, de plus en plus énervantes pour Mélanie, déprimantes pour Georges, celui-ci a tenu à faire lit à part. Il s'est installé dans la chambre rouge, y emportant ses affaires de toilette, ses vêtements, ses papiers, tandis que Mélanie demeurait dans le logis principal. Seule.

La première nuit, elle est restée les yeux ouverts, à épier les bruits — si Georges avait besoin d'elle, errait à la cuisine... —, et à méditer.

Elle qui, d'habitude, a des idées sur tout, n'en a plus. Belle leçon d'humilité ! Mais elle se fiche des leçons, elle n'a plus l'âge d'en prendre, lui semble-t-il ; elle voudrait simplement que Georges aille mieux. Aille bien. Pour lui, d'abord — et puis, est-ce que cela n'abîme pas leur couple, cette séparation forcée ?

Si encore l'éloignement résultait de circonstances extérieures, ils pourraient s'efforcer de demeurer proches, utilisant toutes les occasions de rapprochement. L'exemple de grands romans d'amour lui revient : *Le Docteur Jivago*, par exemple, *Autant en emporte le vent*, où les amants séparés vivent l'absence de l'aimé comme une présence invisible. Même dans *la Princesse de Clèves*, si chaste, les héros ont beau ne pas coucher ensemble, ils se désirent continûment.

Est-ce que Georges la désire encore ? Si c'était le cas, il serait sur le gril, à tel point qu'il préférerait rester près d'elle, dans sa chaleur, son odeur, fût-ce sans rien faire, comme avec une femme trop enceinte, ou quand, dans un couple, l'un est malade et qu'il faut se restreindre. Au moins se tient-on la main en s'endormant.

Georges a choisi de partir, la laissant à son lit froid, à sa couche déserte. Cela signifie qu'il cherche à l'oublier, du moins la nuit, qu'elle n'est plus sa compagne. Qu'il n'a plus besoin d'elle...

Des accès de rage la prennent. Elle pense aux sorciers, aux guérisseurs, il y en a dans la région, elle a envie d'aller en trouver un, qu'il lui donne un élixir capable de faire revenir la virilité, cela doit bien exister, dans leur arsenal, puisqu'ils possèdent l'inverse, paraît-il : la potion qui noue les aiguillettes !

Mais peut-être Georges est-il atteint d'une vraie maladie ? De ces choses qui n'arrivent qu'aux hommes et auxquelles les femmes ne comprennent rien, n'étant pas dotées des mêmes attributs ? Peut-être devrait-il voir un médecin ? Comment le lui dire ?

A peine l'a-t-elle pensé, une nuit, qu'au matin Georges lui déclare qu'il va se rendre à Paris, consulter. Première réaction de Mélanie : « Nous ne sommes pas séparés, puisque nous pensons la même chose en même temps. » Elle en est comme ragaillardie.

— Qui vas-tu voir ?

— Un praticien dont on m'a donné l'adresse. Un sexologue.

— Ah, tu crois que...

Elle a eu tort de continuer sur ce ton neutre, Georges s'enflamme :

— Je ne crois rien, puisque je ne l'ai pas encore vu ! Je ne sais ni ce qu'il va me dire, ni comment cela va se passer...

Il se lève pour regagner ses quartiers. Sur le pas de la porte qui, par le jardin, conduit à sa chambre, il se retourne et lui jette :

— Tu n'as qu'à relire *Au-delà de cette limite votre ticket n'est plus valable*, si tu tiens à en savoir plus long sur le sujet ! Mais moi, à ta place, je m'en dispenserais...

Violette, qui arrive avec un pot de café frais et fumant, s'arrête pour ne pas être bousculée. Georges la croise sans la saluer. Violette ne dit rien, mais son regard questionne. Mélanie commence par hausser les épaules, puis murmure :

— Ce n'est pas drôle...

— Les hommes sont comme ça : ils en ont assez de la femme, mais pas des gosses ! Ce sont ses enfants qui lui manquent, que voulez-vous...

— Son travail aussi lui manque.

— Un si bel homme, ne rien faire de la journée, ça lui tape sur les nerfs ! acquiesce Violette. Je me souviens de mon père, cela lui est arrivé, autrefois : d'un coup, le bâtiment n'a plus marché. Après huit jours qu'il est resté à la maison à houspiller ma mère, et aussi nous autres, les enfants, eh bien, il s'est mis à boire. Heureusement pas Monsieur Georges ! Ce n'est pas son genre. Vous avez de la chance...

Mélanie ne peut s'empêcher de rire de la façon dont Violette cherche à la consoler et elle l'embrasse sur les deux joues avant de quitter à son tour la pièce.

— Tu as raison, Violette, j'ai de la chance !

Chez les gens simples, quand un homme déraille, c'est la femme qu'on plaint : « Son homme boit », dit la rumeur. Ou alors : « Elle l'a tout le jour à la maison, ça n'est pas une vie pour elle... »

Ce qui se passe dans la tête de l'homme n'est pas envisagé. Manque d'imagination ? Respect ?

Violette, par exemple, ne s'est jamais interrogée sur ce que pouvait penser et sentir Édouard ; elle ne jugeait la situation que par rapport à elle et à Mélanie : « Monsieur est bien agréable à servir, disait-elle, toujours le mot gentil, toujours de bonne humeur. Une chance pour vous d'avoir un père pareil, encore en mémoire, propre sur lui... »

Sur la fin seulement, elle eut une phrase qui paraissait tenir compte d'Édouard. En réalité, pour se consoler elle-même de sa mort : « Ces derniers temps, Monsieur n'était plus tout à fait lui, il était devenu irritable, jusqu'à m'attraper une ou deux fois, il trouvait que je n'allais pas assez vite... Allez, c'est mieux comme ça ! »

Pour ce qui le concerne, Mélanie s'était dit que son père, si autonome, avait dû souffrir, les derniers jours, de la diminution de ses facultés. Il ne pouvait plus boire tout seul, trop faible pour porter le verre à sa bouche, et elle l'avait abreuvé à la petite cuillère. Le geste était tendre, il l'en avait remerciée d'une pression de main ; pourtant Mélanie avait éprouvé comme un sentiment de douleur, d'humiliation même : il n'était pas possible que son père eût pu tirer quelque plaisir que ce fût à devenir le bébé de sa fille.

Satisfaire un besoin, oui, cela, il l'avait apprécié ; mais quand l'infirmière est arrivée, c'est avec soulagement que Mélanie lui a cédé la place.

La situation qu'elle vit avec Georges est similaire. Ce n'est pas à elle, sa maîtresse, son amante, de le soigner, et Georges le lui a signifié en prenant rendez-vous sans lui en parler avec un thérapeute. Il préfère manifestement qu'elle ne s'en mêle pas, ne pose même pas de questions : s'il a des problèmes avec l'une de ses fonctions naturelles, pour le reste, il est parfaitement indépendant.

— Où vas-tu coucher à Paris ?

— Marie-Louise m'a offert l'hospitalité dans

la chambre d'amis. Vu le prix des hôtels, j'ai accepté.

Mélanie demeure silencieuse. La nouvelle lui est désagréable, mais pourquoi pas ? Marie-Louise est quelqu'un de bien. Est-elle au courant de ce qui se passe ? Georges, la voyant si immobile, murmure avec une ironie mauvaise : « Tu n'as rien à craindre, tu le sais mieux que personne ! »

L'idée qu'il puisse la croire jalouse, alors qu'il y a tellement en jeu — son équilibre à lui, sa situation professionnelle —, blesse Mélanie au plus vif. La croit-il si égoïste ? Elle a envie de lui jeter : « Si tu savais comme je m'en moque, de ce que tu fais ou pas avec Marie-Louise ! Si tu aimes le réchauffé, bon à toi... » Mais ce serait s'abaisser, et pas tout à fait vrai : elle ne s'en fiche pas.

Pourquoi alors ne pas le dire ? C'est les yeux baissés qu'elle se force à murmurer doucement, tendrement : « Je suis jalouse quand même... »

Georges la dévisage, s'approche, la fait se lever, la prend dans ses bras, la serre contre lui.

32

Sans même s'assurer que c'est bien Mélanie qu'elle a au bout du fil, Yolande jette un cri de louve blessée : « Hermine a disparu ! »

Angoissée par le ton de sa sœur, tout différend oublié, Mélanie est aussitôt à l'écoute :

— Il lui est arrivé quelque chose ? Dis-moi...

— Oui, répond Yolande, la gorge si serrée que Mélanie l'entend à peine ; elle est partie depuis deux jours, je ne sais pas où elle est.

— Mais elle n'a pas pu disparaître comme ça, elle a dû te laisser un mot ?

La voix est de plus en plus inaudible.

— Elle dit seulement qu'elle a rencontré quelqu'un...

Le cœur de Mélanie se desserre ; elle s'emporte contre sa sœur de lui avoir porté un coup :

— Enfin, Yolande, je ne vais pas te tirer les mots un à un... Qui a-t-elle rencontré ? Où ?

Cette fois, Yolande renifle :

— Mais je ne sais pas, moi, elle ne me donne pas de nom... Puis elle inspire longuement, reprend son souffle : Je pense que cela a dû se passer quand elle est allée voir son amie Colette, après l'inventaire. Je n'aurais jamais dû la laisser seule...

Quelqu'un écouterait leur conversation qu'il penserait que la petite a douze ans, moins encore, alors qu'elle en a vingt-cinq !

— Voyons, Yolande, c'est normal, à son âge, qu'Hermine ait un peu envie de vivre sa vie...

— Mais pourquoi ne m'en a-t-elle pas parlé ?

— Parce que tu aurais dit non... C'est pas vrai ?

— Je lui aurais donné mon avis sur son ami. Elle aurait pu me le présenter...

— Pour que tu fasses comme avec ce pauvre Christophe... qui court encore !

— Un garçon qui n'avait même pas fini ses études !

Sa voix est de nouveau cassante, presque mauvaise.

— Ils ne parlaient pas de se marier, lui rappelle Mélanie, elle voulait seulement le fréquenter...

— Où ? Il habitait chez ses parents !

— Eh bien, chez eux, ou alors chez toi, pourquoi pas ?

— Je ne pouvais tolérer une chose pareille...

— Yolande, voyons, c'est normal aujourd'hui... Les enfants font de plus longues études, ils commencent à vivre leur vie sexuelle plus tôt...

— Pas ma fille !

On ne peut pas raisonner Yolande, elle dit

« non » à tout d'emblée. C'est ce qu'on appelle une « oppositionnelle ». Il faut vraiment qu'elle aille mal pour appeler sa sœur au secours.

— T'a-t-elle contactée, depuis ?

— Non, rien !

La douleur est animale.

— Eh bien, elle va le faire !

— Et s'il lui était arrivé quelque chose ?

— Tu le saurais : elle a ses papiers d'identité, ils portent ton adresse, on t'aurait prévenue...

— Et si elle s'en est débarrassée, si elle a décidé de disparaître ?...

Plutôt que d'avoir Maman à ses trousses ? Mélanie la comprendrait, mais il s'agit de calmer Yolande. Si possible...

— Hermine ne ferait pas ça, tu la connais...

— Je ne la connais plus ! Elle n'est plus ma fille, c'est une étrangère, une traînée...

— Yolande...

Inutile de lui dire : « Dans ce cas, pourquoi t'en fais-tu ? », ou même : « Reprends-toi, ce n'est pas en disant cela que tu la feras revenir ! » Yolande ne se voit pas agir, ou plutôt elle a le sentiment d'avoir raison, ce sont toujours les autres qui ont tort.

A propos, pourquoi appelle-t-elle Mélanie ?

— Est-ce que je peux t'aider ?

— Oui.

« Nous y sommes », se dit Mélanie.

— Tu n'es pas loin de chez Colette. Vas-y, demande-lui qui est ce voyou, s'il a des parents, où ils sont, et si elle-même a des nouvelles d'Hermine. D'ailleurs, Hermine est peut-être bien chez eux, fouille partout, elle est capable de se cacher dans le garage, avec lui... Peut-être que les gendarmes...

Le délire. Ça lui arrive, par moments. Puis passe. Elle oublie ses scénarios, en invente d'autres, jusqu'à ce qu'elle ait recouvré son assise, le garde-fou qui lui permet de rester tranquille. Hermine lui sert de protection depuis la mort de Marc.

Par le passé, Mélanie, quand elle sentait venir la crise, essayait de la raisonner. Édouard aussi. Puis l'un comme l'autre s'étaient aperçus que si Yolande finissait par abandonner sa mauvaise cause, ce n'était pas qu'ils étaient parvenus à la ramener au calme, mais parce qu'elle était subitement passée à autre chose. Comme un enfant en pleurs qui aperçoit un nouveau jouet, tend la main et sourit.

— Ne t'en fais pas pour ta sœur, avait fini par conclure Édouard d'un ton désabusé, elle change d'idées comme de chemise, il n'y a qu'à attendre...

Il se contentait de lui dire non quand elle lui faisait l'une de ses propositions absurdes ou choquantes. Puis se préparait à encaisser le coup suivant.

Mélanie est aujourd'hui seule pour gérer la crise de Yolande. Même Hermine s'est défilée. En a-t-elle eu assez de jouer ainsi le rôle de tampon ? Ou a-t-elle fait une véritable rencontre ?

— Vas-y, continue Yolande sur un ton de

commandement. Il faut que tu me la ramènes...

— Pourquoi n'y vas-tu pas toi-même ?

— Parce que..., grogne Yolande.

Soudain, elle change de voix, gémit comme un enfant perdu :

— On m'a pris ma fille !

— Eh bien, va la chercher, si tu y tiens tant ! insiste Mélanie, sachant qu'elle ne parviendra pas à lui faire prendre conscience de son illogisme.

— Je ne peux pas, murmure Yolande. Tu comprends, il faut que je reste près du téléphone, si jamais elle appelait ! Ou si elle sonnait à la porte. J'ai fait modifier les serrures... Qui sait dans quelles mains ses clés ont pu tomber ! Puis, à nouveau la colère : Je commencerai par ne pas lui ouvrir !

« Tu parles ! se dit Mélanie. Elle se jettera sur elle dans l'intention de la battre, et elle se traînera finalement à ses pieds jusqu'à ce qu'Hermine cède et se laisse à nouveau séquestrer. Pas par amour, mais par peur de vivre seule... Je l'ai connue, moi aussi, nous passons presque toutes par là, nous les femmes : la panique de nous retrouver sans personne en face de nous-mêmes... »

Mais elle se laisse fléchir :

— Bon, donne-moi l'adresse de Colette, je vais aller la voir et je te dirai si elle sait quelque chose.

— Tu me rends service !

C'est le vocabulaire de Yolande. Elle ramène

tout à des rapports d'employeur à employé, elle dominant toujours et ne remerciant jamais : on lui doit tout !

« Dans quoi tu t'engages encore... », se morigène Mélanie en notant l'adresse. Mais elle ne peut faire autrement. La pensée de son père l'aidera.

33

Sinuant par les petites routes départementales qui conduisent à Cheyrapoux, le gros bourg tout près duquel est située la maison de Colette, Mélanie remâche. Et s'en veut. Non pour l'affaire d'Hermine, qui d'une certaine façon est dans l'ordre des choses, mais de son coup de téléphone à Georges.

C'est elle qui l'a appelé avant de partir, pour le cas où il chercherait à la joindre.

Première erreur.

Marie-Louise a répondu, polie, aimable même, en fait surprise.

Le temps de passer l'appareil et Georges, sans doute à portée, était au bout du fil. Quand on occupe une chambre chez un proche — ce que demeure votre ex-conjoint —, on circule dans l'appartement, on s'installe dans la pièce de séjour, on mange, si ça se trouve, à table avec les autres... En somme, on vit en famille.

Mélanie se doutait que les choses devaient se passer ainsi, n'empêche qu'elle s'est sentie gênée comme si elle avait poussé la porte d'une salle de bains sans frapper. Et elle n'arrivait plus à se rappeler pour quel motif elle avait cherché à le joindre... L'informer de la fugue d'Hermine ne justifiait pas de le déranger.

— Je voulais..., a-t-elle commencé.

— Quoi ? s'est enquis Georges, plutôt froidement.

Il n'avait pas non plus l'air à son aise — à cause de l'impromptu de son appel ou de la proximité de Marie-Louise ? Peut-être parlaient-ils de Mélanie à ce moment précis, pour en dire quoi ?

Mélanie s'est sentie de trop — ce qui peut arriver même au téléphone —, alors elle a sorti n'importe quoi :

— Tu as oublié ta chemise bleue...

— Je n'en ai pas besoin !

— C'est Violette qui s'en est aperçue en faisant le ménage dans la chambre rouge. Du coup, elle a découvert une fuite derrière le lit, sais-tu si l'eau coulait depuis longtemps ?

— Je n'ai rien vu.

Elle s'enfonçait...

— Je voulais aussi te dire que je pars pour deux jours — peut-être plus, a-t-elle corrigé pour faire bon poids. Ne me cherche pas.

— Très bien.

L'information n'a pas eu l'air de l'affecter outre mesure, à moins qu'il ne l'ait prise comme une injonction à rester là où il était ! Elle a voulu se rattraper :

— Mais tu peux rentrer quand tu veux ! Violette est là, elle s'occupera de toi...

— Ne t'inquiète pas, je ne comptais pas revenir tout de suite.

Et il ne lui en avait rien dit !

— Que se passe-t-il ?

— Mes examens ne sont pas finis.

— Tu vas te faire opérer ?

Il s'est mis à rire, d'un ton plutôt désagréable :

— De quoi ?

Décidément, elle allait de gaffe en gaffe. C'est Georges qui a décidé d'interrompre :

— Écoute, je te rappellerai. Tu reviens quand ?

Ce que c'est que de mentir, elle n'a pas osé lui dire : ce soir. Pourtant, elle aurait aimé lui parler « à fond », sans Marie-Louise aux aguets.

— Demain au plus tard, peut-être avant...

Absurde, elle aurait mieux fait de dire : aujourd'hui !

« Voilà ce qui arrive quand on n'est plus proches par le corps, ressasse Mélanie tout en conduisant. On ne se comprend plus... »

Les mots, au lieu de servir à communiquer, deviennent des poignards avec lesquels on se fouaille. Aucune parole n'est neutre, toutes comportent une arrière-pensée. Elle lui aurait dit : « Mon amour », que ça aurait sonné comme le rappel qu'il lui appartient, alors qu'il lui a manifesté son besoin de liberté. Pourtant, c'est d'amour qu'elle avait envie de lui parler. C'est leur amour qui lui manque.

« Au fond, se dit Mélanie, moi aussi je souffre de solitude, tout comme Yolande ! »

Et elle ne se débrouille pas mieux que sa

sœur pour ramener à elle l'objet de sa ten-dresse ! C'est ce qu'elles ont en commun : la maladresse en amour ! Là-dessus, elles sont bien sœurs...

La voiture pénètre dans un petit bois joli-ment touché par la rouille d'automne.

« Mais jamais Yolande ne considère qu'elle peut être en tort, tout est toujours la faute des autres ! C'est ça, la différence capitale entre nous, se dit Mélanie. Et puis, elle est prête à utiliser la force, tous les moyens, légaux ou illégaux, pour obtenir ce qu'elle désire... Pas moi. »

Si Hermine était encore mineure, sa mère aurait déjà lancé la police et la justice à ses trousses, alertant jusqu'au procureur de la République.

Qui sait d'ailleurs si elle n'est pas allée au commissariat se renseigner sur ce qu'elle appelle ses « droits », c'est-à-dire jusqu'où elle peut exercer son besoin de pouvoir absolu ? Sans tenir aucun compte de ce que veulent les autres.

Quel caractère !

Mélanie imagine la tête des policiers devant la plainte de Yolande, majorée pour faire de l'effet :

— Ma fille a été enlevée !

— Par qui, madame ?

— Si je le savais...

— Vous avez une preuve de ce que vous avancez, vous avez reçu un signe des ravis-seurs ?

— Non, mais si elle n'est pas rentrée, c'est qu'on la séquestre !

— Quel âge a votre fille, madame ?

— C'est encore une très petite fille, vous savez, elle n'a pas l'habitude de sortir seule et elle est...

— Handicapée ?

— Je n'ai pas dit ça, c'est seulement que...

Mélanie se complaît à imaginer la scène — crédible — et se détend. « Heureusement que j'ai ma sœur pour m'indiquer exactement ce qu'il ne faut pas faire ! »

La voici à Cheyrapoux. Au fait, que va-t-elle dire à ces gens ?

34

A la deuxième tasse de thé de Chine qu'elle lui offre, Colette finit par lui confier :

— Vous savez, vous avez beaucoup d'influence sur Hermine ! Ce qu'elle pouvait me parler de vous quand nous étions petites ! Quand elle avait dit « ma tante Mélanie », elle avait tout dit !

— Je ne m'en suis jamais aperçue..., répond Mélanie, sincèrement surprise.

Hermine avait toujours l'air de la fuir.

— Je crois qu'elle avait peur de rendre sa mère jalouse en montrant ses sentiments à votre égard...

— Elle avait raison, constate Mélanie. Depuis la mort de son mari, ma sœur mise tout sur sa fille...

— ... et l'écrase, conclut la jeune femme.

C'est donc si évident ? Mélanie ne sait plus que dire, ni surtout que faire : chercher à libérer Hermine, c'est accabler Yolande, sûrement plus fragile qu'il n'y paraît.

Elle en revient pourtant à sa mission :

— Pour l'instant, Hermine a pris la fuite. Où peut-elle être ?

— Je n'en sais rien, répond Colette sans conviction.

— C'est que nous sommes terriblement inquiètes...

Mélanie a dit « nous » pour profiter de la confiance que lui a d'emblée accordée Colette.

A peine avait-elle garé la voiture devant la maison que la jeune femme, une grosse natte tombant d'un côté du visage, s'est avancée, l'air inquisiteur. Dès qu'elle a eu reconnu Mélanie, son visage s'est éclairé :

— Oh, c'est vous ! Entrez ! Quel plaisir de vous voir ! Et, après les embrassades : Pardonnez-moi, je ne vous ai pas écrit pour la mort de votre père ; j'ai su par Hermine ce qui s'est passé et j'ai tout de suite pensé que vous deviez être terriblement affectée... C'est pour cela que je n'ai pas osé...

— Ne t'en fais pas, Colette, il n'y avait rien à dire. D'ailleurs, tu me le dis aujourd'hui...

— Moi aussi, j'ai perdu mon père, autrefois, mais j'étais petite, ce n'était pas pareil.

— Tu as raison : quand on est jeune, c'est la protection du père qui vous manque. Toutefois, on sait qu'on va faire des rencontres, l'élan vital est encore grand et on va de l'avant. A mon âge, c'est l'être lui-même qu'on regrette, ses façons, sa compagnie, on sait que c'est irremplaçable, qu'on n'aimera plus personne autant...

Et Georges, alors ?

Colette doit penser quelque chose de similaire, Hermine a dû l'informer :

— Vous vivez seule ?

— En quelque sorte, lâche Mélanie qui ne tient pas à s'expliquer.

Elles ont pénétré dans la jolie salle de séjour tendue de chintz bleu, et Mélanie se dit que Colette ne lui a pas demandé la raison de sa visite. Cela signifie-t-il qu'elle s'en doute ?

— Sais-tu où est Hermine ?

— Hermine ? Colette semble hésiter et, pour gagner du temps, répète derrière Mélanie : Vous ne savez pas où elle est ?

Mélanie se laisse tomber dans l'un des gros fauteuils bleus, ce qui lui permet de parler à Colette de bas en haut, comme si elle lui adressait une prière.

— Non, et j'espère que tu le sais, vous étiez si intimes... Et puis, elle est venue te voir, il y a un mois, elle t'a peut-être confié quelque chose ?

— Oui, en effet, je l'ai vue...

— Et alors ?

— Elle m'a parlé de vous, de son grand-père. Il paraît que vous avez hérité de la maison.

— Mon père me l'a confiée, si je puis dire. Il y a tellement de travaux à faire... Yolande et Hermine n'avaient pas l'air d'y tenir... Du moins, c'est ce qu'elles prétendent.

— Je ne sais pas, pour Yolande ; mais je crois qu'Hermine serait prête à s'y attacher si...

— Si quoi ?

— Si elle s'y sentait chez elle !

— Cela dépend d'elle ! Tu sais, je n'ai pas d'enfants...

— Je sais. Moi, j'en ai deux.

— Déjà ?

— Vous allez les voir rappliquer. Ils sont allés à une fête scolaire, je suis restée pour préparer le goûter, ils doivent ramener des petits amis et...

Et le poisson s'est noyé...

Mélanie, attentive aux révélations que lui fait Colette sur les sentiments d'Hermine à son égard, ne pousse pas plus avant son enquête. Si Colette n'a pas l'air inquiète, c'est qu'Hermine est en sécurité ; il n'y a donc pas urgence à s'enquérir de son sort. Mélanie n'entend pas faire comme Yolande, elle ne va pas « imposer sa marque » sur la vie d'autrui.

En tout cas, elle s'en défend.

— Voilà les enfants, j'entends la voiture ! s'écrie soudain la jeune femme en bondissant vers la porte d'entrée.

Elle a un drôle de sourire.

35

Mélanie s'est souvent fait la remarque que les gens de sa génération, s'ils ont quelque peu fréquenté l'école, sont bourrés, farcis des mêmes vers ! C'est cela, appartenir à une même culture : ces petits lambeaux de phrases extraits de poèmes, de chansons, de versets bibliques, qui jalonnent pareillement des vies par ailleurs différentes.

Être d'une autre génération, c'est avoir en mémoire *Yesterday* ou *Rock around the clock* plutôt que *Y a de la joie, Barbara* ou *Orange, joli fruit...*

Qu'est-ce qu'Hermine peut bien partager avec sa « tranche d'âge », comme on dit aujourd'hui d'une façon charcutière ? s'interroge Mélanie en jetant un coup d'œil sur sa nièce tandis qu'elles cheminent ensemble à travers les champs moissonnés du Haut-Poitou. A moins qu'elle n'ait retenu que les adages de sa mère — donc ceux de Mélanie !

Quoi qu'il en soit, elle et sa nièce ne s'entendent pas ! Ne partagent rien, pas même la beauté rougeoyante de ces forêts de chênes et de châtaigniers où s'impose la coloration encore plus intense de quelques hêtres. On dirait que les feuillages à leurs derniers jours poussent des cris d'agonie transmués en couleurs, se dit Mélanie, tellement sensible à ce qui est symbole, en ce moment, qu'elle en devient nerveuse.

Il faut reconnaître qu'Hermine n'a cessé de l'attaquer depuis qu'elles sont parties se promener, l'injuriant même de sa petite voix douceâtre. C'est Mélanie qui lui a proposé d'aller par les champs afin qu'elles puissent causer en tête à tête. Avec les enfants grouillant autour d'elles, c'était impossible.

Et Mélanie voulait profiter de l'occasion rarissime de se retrouver avec Hermine sans Yolande. Des choses capitales pouvaient peut-être se dire, qui ouvriraient l'avenir. Si seulement Hermine pouvait prendre conscience... Mais de quoi ? Le réseau familial est devenu un tel imbroglio !

Mélanie l'a ressenti dès qu'Hermine est entrée dans la pièce, précédée des enfants. Avait-elle reconnu sa voiture dans la cour ? C'est un regard froid, presque hostile, qu'elle a jeté sur sa tante tandis que Colette, bonne pâte, tentait de mettre du liant :

— Regardez qui est là, une surprise, c'est Mélanie ! Et voilà votre Hermine, Mélanie, vous voyez qu'elle n'est pas perdue !

— Qui c'est, Mélanie ? a demandé la petite Céline.

— La tante d'Hermine...

— Et sa maman, où elle est ? a répliqué Céline avec ce sixième sens des enfants pour épingler les situations.

— Elle viendra une autre fois, a répondu Colette. Allez, on va goûter, vous me raconterez à table comment s'est passé votre après-midi !

Brouhaha pour savoir si l'on préfère l'orangeade, la citronnade, le chocolat... En plus de Céline et de son petit frère Jean-Charles, il y avait trois autres enfants, tous aussi excités par les jeux et les chants de la fête scolaire. Il allait leur falloir encore un moment avant de recouvrer leur calme, et Mélanie et Hermine n'avaient pas encore échangé un mot.

Observant la jeune femme empressée à jouer la Maman avec ces enfants qui ne sont pas les siens, répondant avec une animation peut-être affectée à leurs remarques et à leurs requêtes, Mélanie s'est dit qu'il fallait empêcher qu'Hermine passe à côté de sa propre vie : l'amour, le mariage, la maternité.

Mais qu'y pouvait-elle ? Elle n'était que la tante. Pis : celle qui jugeait de l'extérieur et, de ce fait, troublait le jeu entre Hermine et Yolande. Même quand elle se taisait, elle devait leur apparaître redoutable, rappel silencieux que quelque chose ne va pas.

« Pourtant, s'est dit Mélanie en émiettant une part de quatre-quarts qu'elle n'arrivait pas à avaler, je ne désire que leur bonheur à toutes deux. Mais je ne vois pas le bonheur à leur façon, ce qui leur est insupportable. Pour moi, chacun doit vivre sa vie, non s'obstiner à rester collé à l'autre... »

Mais elle, n'avait-elle pas fusionné avec son père, sur la fin ? Et avec Georges, n'est-ce pas ce qu'elle cherche : faire Un ? Où est la bonne voie ? Si Hermine tombait sur un type impossible, autoritaire, tyrannique, ou bien sur un mou qui se drogue, un coureur qui lui refile le sida... N'est-elle pas plus heureuse avec sa mère ?

Au moins faut-il qu'Hermine sache qu'elle peut compter sur elle et ne la considère pas comme une ennemie.

C'est ce qui l'a déterminée à se lever et à s'approcher d'elle :

— Il va falloir que je rentre, tu ne veux pas qu'on aille faire un petit tour avant ?

— C'est que je m'occupe des enfants, a répondu Hermine, prenant ce prétexte pour refuser.

— Mais vas-y, est intervenue Colette, je n'ai pas besoin de toi, les enfants vont s'amuser dans la salle de jeux jusqu'à ce que leurs parents viennent les chercher... Et le dîner est prêt, tu penses, avec tout ce qu'il y a sur la table ! Promène-toi avec Mélanie, montre-lui le vallon, elle ne connaît pas...

Faiblesse, curiosité, Hermine a cédé. Et elles sont parties à travers la nature resplendissante, comme deux amies dont les pas s'accordent.

Pas les cœurs.

— Je sais ce que tu vas me dire..., commence Hermine, agressive.

— Tu as de la chance. Moi, je ne le sais pas !

— De toutes façons, cela m'est bien égal. Je te connais, je sais ce que tu vaux...

Mélanie est stupéfaite. Elle a presque envie de rire : personne ne lui parle sur ce ton, désormais, tout le monde la respecte — sauf sa nièce ! Elle a le temps de se dire, l'espace d'un éclair, que c'est ce qui doit parfois se passer pour un homme de pouvoir, un président redouté : l'entourage est à plat ventre, sauf son fils qui le traite de vieux con. Cela exige du maltraité un certain réajustement. D'elle aussi.

— Pourquoi dis-tu ça ?

— Tu as détourné l'héritage de grand-père !

— Ah bon, en quoi faisant ?

— Tu lui as fait signer des papiers...

— Tu connaissais ton grand-père comme moi, il a établi son testament il y a cinq ans, tu crois qu'il avait perdu la tête ? Demande aux notaires, ils étaient deux, tu verras bien ce qu'ils te diront. C'est leur métier de veiller à ce que les gens soient alors en pleine possession de leurs moyens...

Hermine est un peu déconcertée, cela se voit à la façon dont elle donne des coups de pied dans les quelques champignons qui surgissent d'entre les fougères.

— Et puis, continue Mélanie, toujours calme, ta mère a hérité autant que moi, si ce n'est plus : sa part est en banque, donc préservée ; la mienne, cette vieille maison que tu as trouvée si sale, doit être refaite de fond en comble.

— T'as qu'à la vendre !

— Tu sais bien que Papa me l'a léguée justement pour que je la conserve. Pour toi, peut-
être...

— Ah non, alors ! J'irai jamais m'enterrer
dans ce bled...

— Pas maintenant, bien sûr, mais plus tard,
quand tu auras des enfants...

— J'en aurai pas !

— Quand tu seras amoureuse, tu ne parleras
pas comme ça !

— Jamais je n'aimerai personne... Les
hommes...

— Qu'est-ce qu'ils t'ont fait, les hommes ?

Silence. Puis, changement subit de thème,
comme si elle n'avait pas vingt ans et plus,
mais à peine dix.

— C'est vrai que tu couches avec tout le
monde ?

— C'est ta mère qui t'a raconté ça ?

— Il paraît que ton dernier amant, il est
marié.

— Il divorce, je l'aime, il m'aime.

Mais pourquoi se justifie-t-elle face à une
gamine — c'est le mot — qui ne la prend pas en
considération ? Ne s'intéresse pas à ses problèmes. Encore moins à sa souffrance.

— Hermine, qu'est-ce que ma vie peut bien
te faire ? Occupe-toi plutôt de la tienne...

— Tu t'occupes bien de la mienne, toi !

Envoyé ! Mélanie s'arrête, attend qu'Hermine en ait fait autant.

— Parce que je t'aime. Quoi qu'il arrive. Ne

l'oublie jamais. Tu es ma nièce, ma seule nièce...

Hermine continue de se taire, mais elle ne décapite plus les champignons. Soudain :

— Maman t'a parlé ?

— Elle s'inquiète pour toi. Elle ne sait pas où tu es.

— Tu vas le lui dire ?

— Si tu m'y autorises. Je ne suis pas là pour t'espionner. Tu as l'intention de rester long-temps chez Colette ?

— Faudra bien que je rentre.

Le ton est résigné.

— Pourquoi ne reprends-tu pas des études ?

— Je suis nulle.

— C'est toi qui le dis. Tu n'as pas trouvé le domaine qui t'intéresse... Tu verrais du monde, des jeunes de ton âge...

— Et alors ?

— Alors, tu leur parlerais, tu pourrais sortir avec eux, faire des projets de voyage...

— Coucher ?

— Eh bien oui, pourquoi pas ?

— Maman dit que les hommes ne pensent qu'à ça...

— Et toi, tu penses à quoi ? Tu es une femme, Hermine, ravissante...

Inexplicablement, Hermine se met à pleurer.

— Papa m'avait dit ça, que j'étais ravissante, et puis il est mort.

« Nous y sommes », songe Mélanie.

— C'est vrai, et c'est un grand malheur... Mais il te l'a dit, Hermine, tu l'as entendu, tu

sais qu'il le pensait. Et il ne t'a pas abandonnée, il t'accompagne, quoi que tu fasses...

— Et Maman ?

— Quoi, ta mère ?

— Elle est seule...

— Ta mère est seule parce qu'elle le veut
bien. Ce n'est pas ton problème, tu n'as pas à
remplacer ton père auprès d'elle... Tu es libre.

Reniflement, vif coup d'œil : la liberté serait-
elle en vue ?

— Elle ne voudra jamais...

Épaules retombées.

— Quoi ?

— Tout.

Avec Yolande, c'est l'épreuve de force ;
sinon, on n'obtient rien. Elle n'a aucun respect
pour les autres ni pour leurs désirs, fussent-ils
légitimes. Elle d'abord, elle uniquement, dans
l'absolue conviction que tout ce qui est bon
pour Yolande est forcément bon pour ses
proches ! Il y aurait de quoi rire, si ce n'était
aussi destructeur.

Les deux femmes se sont arrêtées côte à
côte, elles contemplent l'admirable paysage de
collines traversé d'un cours d'eau. Ce décor ne
peut rien pour elles, que se donner à voir.

Elles reviennent sur leurs pas.

Mélanie croit avoir compris quelque chose :
si cela ne peut pas « marcher » entre sa nièce
et elle, c'est qu'Hermine lui reproche précisément ce contre quoi elle ne peut rien : de ne
pas être un homme. C'est-à-dire de ne pas pouvoir remplacer le père qui lui manque pour
faire barrage entre sa mère et elle.

Hermine n'a rien à faire d'une tante, d'une seconde mère, elle n'a nul besoin d'être maternée, elle ne l'est déjà que trop, il faudrait quelqu'un qui la soutienne dans son désir d'indépendance. Mélanie a envie de lui dire : « Je prierai pour toi. » Cela lui est venu spontanément, mais Hermine ricanerait. Tout ce qu'elle peut faire, pour l'instant, c'est se retirer.

— C'était bien ? demande Colette qui, pleine d'espoir, est venue à leur rencontre.

— Épatant, ironise Hermine. Ça pullule de champignons vénéneux...

— Il y en a d'autres, réplique Colette, encore faut-il les connaître. Je te ferai découvrir les pieds-de-mouton, les coulemelles, les trompettes de la mort...

— J'aurais trop peur d'être empoisonnée, lâche Hermine, saisissant la perche qui lui est tendue pour se montrer désagréable envers sa tante. Quand il y a de l'héritage dans l'air, on a intérêt à se méfier !

— *Un plat de champignons me laissa seul au monde...*, murmure Mélanie.

Ni Colette ni Hermine — nouvelle génération ! — n'ont la référence, et sa remarque coule à pic.

36

— La « pilule de l'instant » : le médecin voulait que je la prenne à l'essai... Je n'ai pas accepté, puisque tu n'étais pas là... Tu me vois, courant dans les rues à la recherche d'une âme — ou plutôt d'une main compatissante... Tu me diras qu'il y avait la mienne, mais l'expérience n'aurait pas été concluante !

Georges est sans pitié pour lui-même ; Mélanie en souffre.

— Il m'a aussi proposé l'opération... Après, tu te balades avec ta prothèse pénienne qui ne cesse de te rappeler ton handicap... Tu vas me dire que ça peut plaire ! *Les femmes aiment s'occuper de ces grands infirmes retour de guerre...* C'est de qui ?

— Rimbaud.

— Reste qu'il n'a pas eu le temps de l'expérimenter, sa séduction d'unijambiste, il est mort avant !

— Et toi, que comptes-tu faire ?

— Peut-être rien...

— Alors, reviens !

— Pour que nous fassions *rien* ensemble ?

— Nous pouvons faire mille chose, Georges, et tu le sais.

— Madame est bien bonne...

— Et si tu l'étais un peu plus ? Avec toi-même, pour commencer...

L'échange a lieu au téléphone, ce qui le rend périlleux. L'appareil ne transmet pas les nuances qu'apportent un geste de la main, un regard, un sourire. « C'est moi qui suis impuissante, se dit Mélanie, mais c'est peut-être ce qu'il veut : me faire toucher quelque chose de ce qu'il ressent. En somme, partager... »

Patience : c'est tout ce qu'elle peut.

— Fais comme tu l'entends, chéri, je t'attends.

— Telle sœur Anne...

— Ou Pénélope...

— L'as-tu remarqué, les héros ne sont jamais impuissants ? Tu imagines Ulysse ou Hippolyte, ou le noir Othello en plein fiasco : « Excusez-moi, ma chère, mais, ce soir, ça ne marche pas... » Impossible ! Tous des machines à sexe qui ne s'enrayent pas !

N'aurait-il pas un peu bu, par hasard ? Ce ricanement perpétuel...

— Pourquoi te compares-tu à un héros de légende, Georges ? Sois toi-même...

— Merci pour la leçon.

C'est vrai qu'elle en donne un peu trop, ces temps-ci, mais que peut faire une femme dans cette situation ? La littérature est muette, la morale aussi, et la religion ne l'envisage pas... Le bon sens ?

— Tu en as encore pour longtemps avec le téléphone ?

Yolande vient d'entrer avec fracas dans la pièce, ce qui gêne d'autant plus Mélanie qu'elle n'a pas avisé Georges que sa sœur était là. Dans l'état d'hypersensibilité où il se trouve, il aurait tout de suite imaginé une mafia des femmes en train de gloser sur son cas, et c'était le drame. En tout cas, le retrait.

Mélanie pose rapidement la main sur l'écouteur : « Juste une minute... » En même temps, elle fusille Yolande du regard.

N'importe qui d'autre quitterait la pièce ; pas sa sœur qui se laisse tomber dans un fauteuil, attendant qu'elle ait raccroché.

— Pardonne-moi, mais je dois te quitter, on me demande à la porte : le facteur, je crois... Tu me rappelles ce soir ?

Mais Georges a coupé.

— C'était le chômeur ? demande Yolande avec son génie du mot cruel.

Mélanie ne répond pas. Depuis qu'elle a trouvé Yolande à la maison, à son retour de chez Colette, c'est en permanence la dégelée.

Violette l'attendait sur le pas de la porte :

— Madame Yolande est là, je n'ai pas pu l'empêcher d'entrer, elle avait sa valise, elle s'est mise dans la chambre de Monsieur...

— C'est bien, Violette, vous ne pouviez pas faire autrement.

Si Violette n'en menait pas large, Mélanie non plus. Yolande est tellement imprévisible...

— Te voilà, a dit Yolande en se penchant par-dessus la rampe. Alors, tu as vu Colette ?

Elle n'a même pas cherché à justifier sa présence chez Mélanie : ici comme ailleurs, Yolande se conduit comme chez elle.

— Oui, a répondu Mélanie, laconique. Elle a réfléchi rapidement à ce qu'il était opportun ou inutile de révéler.

— Qu'est-ce qu'elle t'a dit, elle a des nouvelles d'Hermine ?

— Oui.

— Tu l'as vue, elle va bien ?

— Très bien, elle compte retourner à Paris.

— Quand ?

— Dans un ou deux jours, je pense.

— Mais tu l'as vue, ou non ?

Dire la vérité, c'était trahir Hermine. Ne pas la dire, c'était laisser Yolande s'enfoncer...

— Écoute Yolande, ta fille se porte bien, elle a eu besoin d'un peu d'air, c'est tout. Elle t'expliquera elle-même.

— Et le saligaud ?

— De qui parles-tu ?

— De celui qui l'a enlevée !

— Il n'y a personne, elle est seule.

— Tu veux me faire croire ça !

La moutarde a quand même fini par lui monter au nez :

— Crois ce que tu veux, Yolande, mais tu te trompes...

— Ma toute petite fille, elle n'a pas pu me quitter de son plein gré ! Elle ne m'a pas fait ça !

La voix pleurnicharde.

C'est tout Yolande : impitoyable envers les

autres, croulant d'attendrissement pour elle-même. Mais comment fait-elle pour ne voir qu'elle au monde ? Une maladie ? Et pourquoi Mélanie n'en est-elle pas atteinte ? Elles ont été élevées de la même façon, dans le même cadre, la même ambiance, par le même père. Elles sont sœurs, cela ne veut donc rien dire d'être sœurs ?

Tout à coup, Mélanie s'en fout. Tout ce qu'il faut, c'est que Yolande s'en aille le plus vite possible.

— Comment Hermine va-t-elle faire pour rentrer si tu as fait changer les serrures et qu'elle n'a pas les bonnes clés ?

— En fait, j'ai donné l'ordre, mais le serrurier n'a pas encore eu le temps de passer...

Mensonges, encore et toujours !

Mélanie se sent épuisée, elle pénètre dans le salon, se laisse tomber sur le canapé. Elle est seule. On est toujours seul.

— Dis donc, c'est joli, ça, on dirait un Daum.

Yolande a pris en main un petit vase de verre taillé qu'elle examine sur toutes les coutures.

— Mais il est signé ! Bizarre, il n'était pas là au moment de l'inventaire...

— Si.

— Ah, je ne m'en souviens pas... Il ferait bien dans la chambre d'Hermine !

— Prends-le, lâche Mélanie, excédée.

Bien sûr, Yolande ne remercie pas, ça risquerait de lui écorcher la bouche. Il faut même qu'elle rabaisse le don :

— Il a un pet, enfin, cela ne fait rien... Hermine sera contente d'avoir un petit souvenir de son grand-père !

Après son départ, le lendemain, Violette ne cesse d'aller et venir, grommelant, inventoriant :
— Elle a pris aussi les six petites cuillères d'argent qu'aimait tant Monsieur. Et y avait pas deux vases roses ?
— Si Violette.
— Eh bien, y en a plus qu'un !
Mélanie hausse les épaules, elle n'éprouve qu'une immense envie de pleurer. Est-ce cela, la dépression ? Ce sentiment qu'il n'y a rien à faire, qu'on échoue sans relâche, qu'on est mal compris, non voulu. Parfaitement inutile.

37

Mélanie saisit la petite vis à tête circulaire entre deux doigts, la tourne pour l'extirper du bois, recommence avec les trois autres. Chaque fois qu'une vis ou un clou cède, elle a envie de leur demander pardon, ainsi qu'à son père qui les a plantés. En s'excusant de toucher au vieil arrangement de la maison.

« Ça ne va pas, la tête ! se dit-elle. Si tout le monde était comme moi, on ne restaurerait jamais rien, tout finirait par crouler ! »

N'empêche qu'elle ramasse pieusement les quatre vis rouillées, ainsi que les deux baguettes de fer qu'elles fixaient. Rien ne sera réutilisé : si l'on a besoin d'un matériel semblable, on prendra du neuf. Pourquoi, le sachant, range-t-elle ces débris dans le vieux carton du grenier où elle accumule tout ce qu'elle décroche, remplace, supprime ?

Quelques jours avant sa mort, Édouard lui avait demandé de bien vouloir lui couper les extrémités de sa courte moustache, qui avait poussé et le grattait. Plus d'une fois, en pénétrant dans la salle de bains après qu'il lui eut dit d'entrer, elle avait vu son père procéder à la délicate opération, muni de petits ciseaux courbes qu'il n'affectait qu'à cet usage : la rectification de sa moustache !

Mélanie s'était émue que son père la laissât toucher à un attribut auquel il devait particulièrement tenir pour ne l'avoir jamais rasé depuis ses vingt ans.

— Fais attention, il faut que les deux côtés soient symétriques ! lui avait recommandé Édouard d'une voix enrouée.

Mélanie avait eu peur de mal faire, mais n'en avait rien laissé paraître. L'important, au stade où il en était, c'était de rassurer Édouard sur son apparence : « C'est parfait, ne t'inquiète pas. » Et elle lui avait tendu le petit miroir rond dans lequel il n'avait lancé qu'un rapide coup d'œil, comme s'il redoutait de se regarder.

Pourtant, il était toujours aussi beau, le temps avait glissé sur ce vieux visage sans rien lui ôter de son harmonie.

Est-ce parce que, ce jour-là, elle avait eu peur de « faire mal » — dans tous les sens du mot, car elle craignait aussi de piquer le vieil homme ou de le couper avec les ciseaux — que Mélanie, aujourd'hui, a tant de mal à intervenir dans la maison ?

Pourtant, l'inventaire est terminé et les notaires le lui ont affirmé : elle peut y vaquer à son gré !

Sa crainte de toucher au vieux décor vient de plus loin, se dit-elle en brossant le salpêtre du mur de la cuisine : cette maison incarne la tendresse que lui portait son père, et, tant qu'elle reste blottie dans ce cocon, elle se sent à l'abri.

Bien que l'arrangement laisse à désirer : son père avait fini par suspendre n'importe quoi aux murs. Aussi bien des couvercles de boîtes à bonbons représentant des châteaux de la Loire, des tableaux du Louvre, des chevaux tirant un fiacre... Il avait découpé ces images pour les fixer sur un carton avec du scotch ordinaire, lequel se décollait. Bon à jeter... mais Mélanie ne jetait pas !

Elle revoyait son père, attentif à ses bricolages, respirant plus fort lorsque l'opération se révélait délicate, et c'était cela qu'elle avait besoin de respecter : son labeur, même maladroit ou inutile.

« Quand ceux que nous aimons nous quittent, songeait-elle, nous nous découvrons plus sensibles à leurs manies — qui nous ont exaspérés de leur vivant — qu'à leurs vertus reconnues ! Comment se fait-il ? »

Peut-être les humains mettent-ils le meilleur, le plus singulier d'eux-mêmes, dans ces menues activités sans lien — ou alors très lointain — avec leur insertion sociale ? On dirait que c'est là qu'ils sont le plus eux-mêmes.

« Le moins, aussi ! » ajoute Mélanie tandis qu'elle colmate une ouverture dans le vieux mur de la cuisine — usure ? mulot ? — avec un bouchon de papier-journal.

Cette activité maniaque, obsessionnelle,

n'est pas une caractéristique individuelle : elle régit l'espèce humaine. La rattache au grand peuple des êtres vivants : oiseaux, insectes, toutes les bêtes laborieuses qui obéissent à leur instinct, dans une réussite sublime ou dans l'échec. Les éthologues le savent : les oiseaux construisent parfois des nids qui s'effondrent, les castors de même, et les araignées si habiles tissent leur toile en dépit du bon sens, là où il ne faut pas !

Mélanie se rappelle les « merde, merde... » vigoureux que laissait échapper Édouard quand il ne parvenait pas à ses fins.

— Tu veux que je t'aide, Papa ?

— Je vais y arriver, c'est cette colle, aussi, qui ne vaut rien...

— Mais regarde le tube, il est desséché !

— Il ne m'en faut qu'une goutte...

Il avait ainsi imprimé sa marque sur toute la maison, comme on dit que l'Éternel a enfoncé son pouce créateur dans l'argile humaine.

« Voilà que j'en fais autant pour mon compte ! se dit Mélanie, hissant jusqu'au grenier une chaise dont le cannage laisse trop à désirer. Moi aussi, je vais déposer mon empreinte sur la maison. Pour en faire mon caveau ? »

Depuis son dernier coup de téléphone avec Georges, Mélanie est amère. En fait, c'est le monde qui l'entoure qui a goût d'amertume : tout ce qu'elle tente rate !

Déjà, son père est mort. Or, ce n'est pas faute de l'avoir soigné. Avec le jeune médecin, ils ont lutté jusqu'à la fin, changeant de médicaments, se réjouissant pour un léger mieux, croyant à une reprise possible. Deux heures avant qu'il ne cesse de respirer, Mélanie avait fait venir des bouteilles d'oxygène, mais, au lieu de se dire que c'était le signe qu'Édouard ne parvenait plus à respirer seul, elle s'était persuadée que c'était un palliatif momentané, pour un meilleur confort, le temps qu'il reprenne son souffle... Lequel était en train de lui manquer et d'ailleurs s'était envolé !

Même son père avait été plus lucide qu'elle : « Je vais bientôt manquer d'air », lui avait-il confié avec douceur, et Mélanie ne l'avait pas cru.

Puisqu'il lui disait cela, c'est qu'il pouvait parler, et s'il pouvait parler, c'est qu'il était là, qu'il le serait encore et toujours ! D'où vient cet aveuglement face aux grands malades, aux mourants ?

Mélanie s'en voulait comme du reste : de ne pas avoir trouvé le traitement qui l'aurait tiré de ce qu'elle s'obstinait à considérer comme une « crise », de ne pas avoir compris qu'il partait ni utilisé ces dernières heures pour formuler tout ce qu'elle avait omis de lui dire depuis qu'ils se connaissaient. Depuis les débuts de sa vie à elle.

La relation qu'on peut avoir avec un père et une mère est la plus étrange de toutes. On dit qu'ils vous ont « donné la vie » et on sait bien que ce n'est pas exact : la vie est passée à travers eux, avec ou sans leur accord, pour se continuer elle-même. Toutefois, ils sont les témoins du mystère depuis la première seconde, celle de la fécondation. C'est en cela qu'il y a du sacré dans l'enfantement — et aussi de l'aveuglement, suscitant un flot constant de haine et d'amour : on se sent surplombé par ses géniteurs.

Ces grands témoins qui savent tout de vous et pourtant ne vous en expliquent rien ! C'est en cela que les parents déçoivent : ils nous laissent dans l'ignorance.

Ainsi Édouard l'avait quittée sans lui livrer la moindre clé sur l'existence et la façon de s'y conduire...

Allant et venant dans la maison, Mélanie sentait que c'était cela, la faute originelle : concourir à la naissance d'un être nouveau, puis l'abandonner dans le noir. Tous les enfants sont des enfants abandonnés. Ce qui est d'autant plus insupportable qu'on vous dit le contraire, sans doute pour vous retirer jusqu'au droit de vous plaindre. Et ces gens-là, ces traîtres, on aurait par-dessus le marché le devoir de les respecter !

Les derniers temps, Mélanie avait suspendu le portrait de la mère d'Édouard juste sous ses yeux. Pour qu'il se sente accompagné par l'image de quelqu'un qu'il avait tant aimé, mais qui l'avait quitté sans l'éclairer davantage sur le monde ? Ou était-ce pour lui laisser implicitement entendre qu'il allait bientôt la retrouver. N'était-ce pas cruel, de la part de Mélanie, d'annoncer à son père sa mort prochaine de cette façon indirecte ?

Même si ce n'était pas exprès, elle avait tout fait de travers.

Elle avait beau se dire : « Comment pouvais-tu agir autrement ? », se rappeler qu'elle avait suivi les rites, jamais ménagé sa peine — mais il subsiste toujours quelque imperceptible négligence —, Mélanie continuait à se répéter qu'elle n'était pas allée assez loin. Elle n'avait pas retenu la vie. Elle s'était résignée à l'inéluctable. Comme tout le monde.

Qu'elle traînât aujourd'hui les pieds dans l'escalier n'était que justice. Elle avait honte d'elle-même, elle ne valait pas l'un de ces clous que son père avait plantés partout.

Peut-être était-ce pour cela qu'elle n'arrivait pas à arracher ces pointes, ces punaises, ces crochets qui parsemaient les murs : y avait-il là un message ?

Ce qu'Édouard ne lui avait pas dit était peut-être inscrit dans ce réseau de pointes, en apparence incohérent. Une énigme qu'il lui restait à déchiffrer ? Serait-ce pour cette raison qu'elle interdisait violemment qu'on y touchât ?

Elle déraille.

C'est à cause de Georges, aussi.

L'échec avec Georges, survenant juste après la mort d'Édouard, n'a rien arrangé. Elle aime cet homme et elle ne peut rien pour lui, pas même lui donner du plaisir. Quand on ne fait pas d'enfants, qu'on ne donne pas de plaisir à l'homme qu'on aime, qu'on ne retient pas la mort, est-on une femme ?

Mélanie s'assied en plein milieu de l'escalier,

elle s'accroche aux barreaux, n'ayant plus envie ni de monter ni de descendre. Violette est partie, Mélanie lui a enjoint d'aller se reposer chez sa cousine, elle en avait bien besoin après cet inventaire qui a fini de la dérouter. Elle aussi a dû se sentir dépassée. En plus, au fond de son cœur, peut-être en veut-elle à Mélanie d'avoir laissé ces malheurs advenir. De ne pas avoir su imposer l'ordre, comme le faisait Édouard.

Mélanie est seule avec la maison.

Qui n'a plus de maître.

38

« *A vendre* » : l'écriteau long d'un mètre se détache sur la façade de la maison, suspendu à l'un des balconnets du premier étage. En lettres noires et rouges, on y lit également le nom de l'agence immobilière, son numéro de téléphone. Facile à retenir, mais Mélanie ne tient pas à l'enregistrer.

Il n'y a pas encore eu de demandes. « Cela reprendra après les fêtes, lui a dit l'agent. Pour l'instant, les gens ne pensent qu'à Noël, mais j'ai eu des appels concernant le prix. »

La décision lui est venue d'un coup, après une marche à travers la ville et le jardin public, si désert en ce mois de décembre. La seule façon d'échapper au ressassement, c'était de quitter les lieux. D'une façon radicale : « Je tiens également à me séparer du mobilier, a déclaré Mélanie au vendeur. Ce que les acheteurs ne voudront pas garder, je l'enverrai en vente publique. »

Les choses aussi peuvent rêver d'une nouvelle vie ! Le vieux buffet, si lourd qu'on ne peut même pas le déplacer pour « faire les poussières », comme dit Violette, peut avoir envie d'aller voir ailleurs, dans un autre cadre, s'il sera mieux traité. Il ne doit pas y avoir que les êtres pour avoir ras-le-bol de la perpète. Fût-il inexprimé.

Ainsi, quand elle a annoncé à Violette que la maison était en vente, Mélanie a craint sa réaction : si la vieille femme se mettait à pleurer, à gémir la tête dans son tablier, comme les servantes des romans russes lorsque le domaine est bradé, les terres dispersées, ou quand, dans les romans américains, les Sudistes, après la guerre de Sécession, voient brûler leurs propriétés ?

Est-ce parce que Violette ne porte pas de tablier ? Elle n'a pas protesté, ni même paru surprise : « Je m'en doutais, c'est trop grand pour vous ! »

Mélanie a failli répondre : « Mais ce n'est pas pour cela, c'est sentimental... » Puis elle a pensé que si Violette avait trouvé un argument qui lui convenait, mieux valait le lui laisser. Cela lui permettrait de faire bonne figure dans le quartier : « Nous avons dû mettre en vente, vous pensez, une baraque pareille, c'est trop cher à chauffer l'hiver, et pour le ménage, je ne vous dis pas... »

Du temps de son père, ces inconvénients n'avaient pas compté. Bien sûr, Mélanie est seule, à présent, pour payer les impôts, les taxes, les factures croissantes de l'EDF/GDF, mais en faisant quelques économies, elle pourrait y parvenir.

C'est côté cœur que rien ne va plus.

Si Yolande devait revenir — ce que souhaiterait Mélanie, dans l'idéal —, ce serait, comme la dernière fois, pour jeter un regard haineux sur le plus menu bibelot, débiter quelque mauvaiseté. En somme déprécier, rejeter, abhorrer ce qui ne lui appartient pas.

Autant éviter ce genre de confrontation. Elle leur enverra à toutes deux un lot d'affaires, ce qui diminuera le résultat de la vente — lequel, de toutes façons, sera bien au-dessous du prix réel des meubles. Mélanie le sait d'avance, mais faire peau neuve se paie.

Quant à Georges... C'est là que le bât la blesse vraiment, se dit-elle en faisant chauffer dans une minuscule casserole de traviole le reste du café matinal. On dirait qu'il ne peut plus se supporter dans ce cadre où ils ont été si heureux.

Ce qui était promesse de vie, quand ils jouaient aux étudiants amoureux dans la chambre rouge, loin des oreilles d'Édouard, mais avec son approbation tacite, n'est plus que cendres.

Impuissance.

« C'est drôle, l'impuissance, songe Mélanie. Elle court comme le furet chez tous les couples, et on n'en parle jamais... »

Des tests ont lieu : « Combien de fois par mois faites-vous l'amour avec votre femme ? » L'écart entre les réponses est ahurissant : de trois fois par jour à une par an ! Et qu'est-ce qu'on appelle faire l'amour, dans ces cas-là ?

La dame prise, appuyée à sa gazinière, jupe troussée par-derrière, est-elle heureuse, flattée, excédée ? Ou simplement résignée ? Si elle proteste, le seigneur et maître la houspillera jusqu'à satisfaction, et dans notre société, ce n'est pas comme aux États-Unis, parler de « viol conjugal » n'est guère reconnu par les tribunaux et ferait s'esclaffer tout le monde. On préfère penser que les femmes font parfois les hypocrites, mais qu'elles adorent être violentées, surtout par leur mari ! S'en plaindre ferait partie du jeu.

Assise devant la table de la cuisine dont la vieille toile cirée dévoile sa trame, ses mains en rond autour de la petite tasse de porcelaine céladon pour s'y réchauffer, Mélanie laisse errer son regard à travers la pièce, puis par la fenêtre.

Chaque objet de la maison, chaque plante du jardin lui évoquent un souvenir, qu'il soit d'Édouard ou de ces grands-parents dont son père lui a si souvent parlé. Jusqu'à ce qu'elle tente, par imitation, par tendresse, de remettre ses pas dans les leurs pour reprendre le flambeau, comme on dit.

Là est son erreur : chaque génération doit faire un saut dans l'inconnu, non pas se mettre au service de la mémoire familiale en vue d'entretenir un passé immuable.

Mélanie peut bien accuser Yolande de ne pas avoir « coupé le cordon ombilical » avec sa fille, voilà qu'elle en fait autant avec la maison !

Les deux sœurs se valent : chacune à sa façon poursuit un chemin identique !

Mais, cette fois, c'est fini, Mélanie va partir vers du neuf.

A son âge ? Pourquoi pas.

39

Quand Mélanie s'est aperçue que la maison ne se vendait pas assez vite, et même pas du tout, elle a subitement décidé de la quitter. « Attendons le printemps, lui a dit l'agent immobilier, ce sera mieux : les prix sont bas, pour le moment, ils remonteront avec la fin de la crise. »

Elle ne supportait plus de rester entre ces quatre murs qui ne trouvaient pas preneur, c'était trop mélancolique, presque humiliant, ce dédain, et il lui semblait entendre la nuit comme des gémissements... Imaginaires, elle le savait, mais sa santé s'en ressentait : elle avait maigri, manquant d'appétit.

Violette n'était pas un appui, bien au contraire : après avoir accepté d'un front en apparence serein la vente de la maison, voilà qu'elle trouvait le moyen, en douce, d'en vanter les charmes et les mérites :

— Une cuisine aussi vaste, c'est rare, et ils sont bien beaux, ces cuivres dont vous voulez vous défaire ! Chez mes autres patrons, ils se mordent les doigts de s'en être séparés ! Ça décore... Encore, eux, ils ne les ont pas vendus, tout est allé aux enfants qui s'installent... Ils peuvent les revoir quand ils veulent !

— Je n'ai pas d'enfants, Violette, a fini par lancer Mélanie, espérant clore le débat.

Il a repris sournoisement à propos de tout et de rien : d'un carrelage comme on n'en fait plus ; de l'épaisseur des volets de bois qui atténuent si bien les bruits, la nuit ; du figuier qui a encore poussé cette année et produit des figues d'un sucré, qu'on n'en trouve pas de pareilles au marché !... De jour en jour, la vieille maison tournait au palais des merveilles !

Mélanie a préféré s'en aller. Elle est montée en voiture avec ses affaires personnelles et elle est retournée à Paris, dans son trois-pièces.

Ce qui la soutenait, c'était la pensée de revoir Georges.

Au téléphone, en apprenant qu'elle revenait, il avait paru enchanté : quel jour, à quelle heure serait-elle là ? Il tenait à l'emmener dîner le soir même.

Tout en conduisant, Mélanie s'était contentée de réfléchir à la tenue, pas trop froissée, qu'elle allait pouvoir enfiler. Puis, au bout de cent kilomètres, elle s'était souvenue d'avoir oublié ses escarpins vernis, confiés à Violette pour un coup de chiffon. Dans l'émotion du départ, ni l'une ni l'autre n'y avaient repensé. Tout de même, elle devait avoir une paire de chaussures convenables dans son armoire parisienne ; et puis, Georges regarderait-il ses pieds ?

Quand Mélanie lui a ouvert la porte, c'est tendrement qu'il l'a prise dans ses bras pour l'embrasser comme au pays, trois fois, avant de la repousser d'une main décidée.

Il s'est assis et elle lui a offert de ce petit côte-de-bourg qu'il aime tant et dont elle a ramené quelques bouteilles, mais, après s'être exclamé, là encore, Georges a écarté son verre. Le sourcil froncé, il cherchait manifestement à éviter toute conversation « sur le fond ».

Mélanie a tout de même fini par comprendre qu'il avait quitté Marie-Louise pour aller habiter chez sa grand-tante, solitaire depuis le mariage à l'étranger de sa fille, dans la chambre du fond du très vieil appartement — « pratiquement indépendante », a-t-il ajouté.

Georges lui avait très peu parlé de la très vieille dame qui perdait lentement la tête depuis son veuvage désormais lointain, et vivait en compagnie d'une jeune fille dite « au pair ». Laquelle changeait souvent : s'occuper de très vieux n'est guère réjouissant et seules les nouvelles venues en France acceptent le poste pour quelques mois, le temps de se retourner.

Inutile de dire que la vie chez Adeline — ainsi se prénommait la tante de Georges — était réglée comme une horloge et que son petit-neveu n'avait pas à s'en préoccuper. Alors, que faisait-il ?

— Je cherche...

— Quoi ?

— Que peut chercher un chômeur, à ton avis ?

— Et tu ne trouves pas ?

— Imagine-toi que non, ma grande...

Impossible d'obtenir d'autres détails. Mélanie s'est dit qu'il devait quand même avoir des propositions ; des offres de travail paraissent tous les jours dans les journaux... A sa place... Elle n'y était pas.

Il a tenu à l'inviter dans un restaurant qu'il fréquentait, dans le 4ᵉ arrondissement, et quand elle a fait mine d'ouvrir son sac, au moment de l'addition, il a vivement posé sa main sur son poignet.

Protester était inconcevable.

Ce qui l'a blessée, c'est quand Georges s'est refusé à monter prendre une tisane, sous prétexte qu'il devait se lever tôt, le matin, pour un rendez-vous avec un chasseur de têtes en province...

Vrai, pas vrai ? Ce que Mélanie a vu de plus clair, c'est qu'elle s'était fait des illusions : elle s'était imaginée allongée contre lui dans le noir, remontant le fil du temps, en mots d'abord, puis en caresses... Il lui paraissait impossible que cela ne s'arrange pas entre eux, de ce côté-là ! Elle en avait tellement envie...

Car elle le désirait, cet homme, de toutes ses forces. Elle s'en était aperçue dès son arrivée. Comme l'ascenseur était en panne, il avait dû monter à pied les six étages et suait un peu. Quand ses lèvres à elle avaient dérapé sur sa joue, le nez dans son cou humide, elle avait respiré une odeur familière, intime, qui lui avait tordu le ventre.

Elle avait désespérément envie de ce corps-là, pas d'un autre. Et si ses genoux se dérobaient quand elle était contre lui, au point qu'elle avait failli se laisser aller sur le tapis de l'entrée, c'était la bête en elle qui réclamait.

Son dû.

40

« Mais non, c'est pas comme ça qu'on fait ! »

Mélanie veut allumer le feu dans l'âtre et, tous les matins, c'est la même comédie : elle n'y parvient pas.

L'art de faire du feu avec du bois mouillé, vieux comme la civilisation, ne s'apprend pas en un jour, ni même en quelques semaines. « Trop de papier, lui remontre Violette, pas assez de petit bois ! » Alors Mélanie laisse faire la vieille femme qui, tout au long de la journée, lui prend des mains bien d'autres ustensiles dont elle prétend se servir.

La voyant démunie, les bras pendants, Violette bougonne : « Retournez donc à vos écritures ! » Cela signifie : à chacun son métier, est-ce que je me mêle du vôtre ?

Ç'avait dû être une forte ferme, puis plus rien, des bâtiments déserts. Violette lui avait dit : « Vous pouvez y habiter, puisque vous ne savez où aller... » Certaines des bâtisses croulaient à cause du toit qui n'avait pas été refait à temps. Mais la demeure dite de maîtres tenait le coup. « Mes vieux y sont restés jusqu'à la maison de retraite, lui avait expliqué Violette, et mon père réparait le toit tuile à tuile tant qu'il a pu grimper sur son échelle. »

Les vieux parents étaient morts en institution, l'un suivant l'autre, et Violette avait hérité du domaine, quasiment invendable. « C'est pas comme vous, avait-elle déclaré à Mélanie, je suis fille unique, moi, j'ai pas eu à partager. Une facilité ! Alors, je me suis dit que j'allais garder la maison pour mes vieux jours, bien que vivre ici toute seule, il y a de quoi devenir fou ! »

Est-ce ce qu'avait pensé le camionneur : qu'elles étaient folles, quand il avait débarqué les bagages des deux femmes cet après-midi-là ? Deux malles, quelques valises trop encombrantes pour entrer dans la petite voiture de Mélanie.

— J'ai hérité, avait expliqué Violette comme pour justifier leur installation dans ce lieu du bout du monde. Je viens voir l'état... Et Madame a été malade, elle a besoin d'air.

Pour l'air, il n'en manquait pas autour de la ferme bâtie à flanc de coteau, du bon côté du vent, comme on construisait autrefois quand c'était le propriétaire qui décidait, pas le promoteur. La vue était magnifique : un vallon, puis quelques collines moutonnant vers le sud.

Violette avait assigné l'espace : « Vous serez mieux en bas, ça ouvre d'un côté sur la cour, de l'autre sur le jardin. Moi, je prends le haut. »

A travers les vieux murs de pierres, elles ne s'entendaient pas aller et venir et Mélanie s'était sentie seule comme elle ne l'avait pas été depuis longtemps. Les deux pièces que lui avait allouées Violette étaient grandes. Dans l'une où se trouvait aussi un lit, elles avaient à elles deux traîné une grosse table bancale remisée dans un appentis. Calée avec un éclat de bois, recouverte d'une toile cirée, elle avait fait usage de bureau et Mélanie y avait installé l'ordinateur, ses papiers, ses dictionnaires, son agenda, quelques dossiers, son répertoire.

Il y avait le téléphone, mais la ligne était coupée.

— Je vais à la poste la faire rétablir, avait aussitôt déclaré Violette.

— A quoi bon, Violette, je n'attends rien. Ni personne.

— On ne sait jamais. On peut avoir besoin du médecin.

Le village était à trois kilomètres et Violette avait repris le Vélosolex de son père, rangé sous une bâche et toujours en état. L'engin lui servait pour les courses et évitait à Mélanie de prendre la voiture. En fait, la maison recelait de quoi vivre en autarcie, ce qu'avaient dû faire les vieux cultivateurs avant et depuis leur retraite.

— Là, il y avait les vaches, les moutons dans le bâtiment bas. On nourrissait aussi un cochon, mais quel travail ! On y avait renoncé. Ma mère a gardé des poules et des lapins jusqu'au bout, c'était déjà bien. C'est usant, les bêtes. A tout à l'heure, je vous ramène le journal ?

— Si vous voulez. Celui d'ici.

Violette partie, Mélanie était sortie de la maison pour en faire le tour, puis s'était éloignée par le chemin conduisant à la châtaigneraie. Cette impression d'être seule au monde, elle l'avait déjà connue chez sa tante, dans la Creuse où, petite, elle passait des vacances. Elle s'en allait par les champs rêver à sa vie future, à tous ces bonheurs confus qui l'attendaient. Il lui semblait que la vie des siens, celle des gens qu'elle connaissait ou dont on lui parlait, était toujours plus ou moins gâchée. Ceux qui l'avaient précédée dans le temps avaient connu des malheurs, des ratages, parfois de terribles deuils. C'étaient des destins avortés : femmes qui ne s'étaient pas mariées, qui étaient mortes jeunes, ou affublées de maris buveurs qui les battaient, les trompaient pour les abandonner ensuite. Racontée par la tante et les voisines, on eût dit que la condition féminine n'était qu'un tissu de douleurs et d'échecs.

Ce ne serait pas le cas de Mélanie, elle le sentait au fond d'elle-même : elle était d'une autre génération et le temps du bonheur et de la liberté commençait avec elle ! Elle en lisait la promesse dans la nature qui s'épanouissait voluptueusement sous ses yeux. Ce cadre riant — c'était l'été qu'elle venait chez la tante, quand les arbres étaient en feuilles, le jardin en fleurs — ressemblait à celui qu'on voit sur les tableaux : une sorte de nid disposé pour abriter l'amour. Si celui-ci tardait encore, c'était pour lui laisser le temps de grandir un peu plus...

Mélanie s'est assise sur un vieux mur de pierres sèches à l'orée du bois, d'où elle peut apercevoir le village, la route par où Violette va revenir, bordée de peupliers bruissant dans le vent. En contrebas, la ferme, avec ses bâtiments disséminés comme au hasard, en fait avec harmonie.

Tout est en place, ici, on dirait pour toujours.

Elle se calme.

Retrouve ses assises.

Elle songe à sa propre maison qui se fait visiter, qui a peut-être trouvé preneur. Ce qui l'en a dégoûtée, elle le comprend maintenant, c'est l'inventaire. La maison d'Édouard était un royaume dont elle ne connaissait pas les recoins, les trésors. Une sorte de caverne d'Ali Baba. Par respect pour son père, mais aussi par pudeur, parce qu'elle préférait n'en rien savoir — comme un enfant qui ne tient pas à s'interroger sur la vie passée de ses parents —, Mélanie s'était abstenue, jusque-là, d'explorer les placards, d'ouvrir les cartons, de classer les dossiers, d'examiner les livres. Elle vivait parmi ces choses dans un sentiment d'infinitude.

Puis l'inventaire avait eu lieu — à tiroirs ouverts.

Il lui avait fallu non seulement dénombrer tout ce qui se trouvait entre ces vieux murs, mais, de surcroît, l'estimer. Elle savait maintenant combien il y avait de lits, d'armoires, de luminaires, de vases, de pendules, de tableaux, de tapis, de casseroles, de verres, de couverts, de couvre-pieds, de fauteuils, de tables, de chaises — et combien chacun de ces objets valait.

Finalement, peu de chose. Ce qu'elle avait pris pour un royaume n'était qu'un mouchoir de poche. C'est ce que sa sœur lui avait imposé de pire : la désillusion.

Est-ce ce que l'on appelle sortir de l'enfance ?

Voir les choses telles qu'elles sont, piètres, moches, parfois délabrées, toujours infimes. Alors qu'on rêvait d'immensité...

Elle comprenait pourquoi ceux qui en ont le courage et la force partent vers ce qu'il reste de continents vierges, ou au sommet des pics : pour retrouver l'émerveillement de leur enfance. Se sentir à nouveau des petits princes qui héritent de bien plus qu'un peu de terre : de tout l'univers — presque de l'éternité !

Elle n'était qu'une femme de cinquante ans dont l'avenir venait de se réduire.

A presque rien.

D'un pas lent, elle revint vers la ferme : ne plus avoir que cet horizon, après tout borné, puis les quatre murs d'une chambre ripolinée dans une maison de retraite, c'est donc cela qui attend chacun au bout du chemin ? Alors, on est floué, on se trompe soi-même à l'âge des grandes espérances ?

Sans compter l'amour avec Georges qui sombre dans le fiasco.

Au moment où elle atteint le seuil, débouche Violette sur son Vélosolex.

— Ah, vous étiez partie voir la vue ! Faut que je vous montre où on cache la clé, quand on s'éloigne : sous la pierre, près du puits...

Violette lui parle comme si elles étaient deux égales du même âge, ayant le même manque d'avenir. Elle ne lui dit plus « Madame ».

41

De la main, elle lui indique le vieux poirier aux branches torturées comme celles d'un bonsaï, mais Georges regarde vers le chêne ou le magnolia. Il a toujours l'œil ailleurs.

Tout en allant quérir à la cuisine de quoi mettre le couvert, elle continue de lui parler par la porte ouverte, mais il ne répond pas à ses questions, ne commente pas. Quand Mélanie revient, elle s'aperçoit qu'il est plongé dans un vieux journal qui traînait, ou bien retourné à sa voiture chercher une carte routière, un paquet de cigarettes...

« Il est là, mais pas avec moi », constate Mélanie.

Ni avec lui-même. Il est absent.

Exprès, comme on sonde une blessure ou secoue un être inerte pour vérifier s'il est encore conscient, elle lui a posé des questions sur Marie-Louise, puis sur les enfants. Il l'a regardée — ils étaient à table — d'un œil rond, comme s'il ne savait pas qui étaient ces gens-là.

— Georges, tu m'écoutes ? Je te demande comment vont les enfants et leur mère...

— Bien, je suppose.

— Tu ne les as pas vus ?

— Non, j'avais beaucoup de travail. Il a ricané : Enfin, je me comprends...

C'est Mélanie qui ne le comprend plus. En même temps, il lui paraît si démuni. Peut-être faudrait-il le bourrer de coups pour tenter de le ramener à la réalité, mais elle n'en a pas envie. D'abord, il est venu ; elle aurait peur de l'effrayer par des paroles trop brusques, comme un animal farouche toujours sur le point de s'enfuir. Il l'a dit en arrivant : « Je n'ai qu'un petit moment. » Il peut l'écourter sous n'importe quel prétexte.

Et puis, qu'est-ce que la réalité ?

Mélanie ne sait plus.

En des temps qui lui paraissent très lointains, il y avait un ordre des choses, des façons de faire en famille, en société, au travail, qui étaient les bonnes. En tout cas, sur lesquelles tout le monde était d'accord — et l'on condamnait ou réprimandait ceux qui n'y prenaient pas garde : c'étaient des originaux, des fous, ça leur retomberait sur le coin de la figure. On le ressassait aux enfants : ne pas mentir, ne pas être en retard, ne pas paresser, ne pas songer qu'à soi...

Qu'est devenue la loi, aussi bien juridique que morale, qui gît au cœur de chacun ?

Georges n'a rien fait de mal aux termes des lois officielles ; or il est puni comme un criminel. Rejeté. Exilé. Nié. Sans être passé devant aucun tribunal — hormis celui expéditif de son patron.

L'injustice — qui n'est pas reconnue comme telle — doit lui paraître si grande qu'elle le détruit heure après heure. Comme ces prisonniers qui ne clament même plus leur innocence, n'invoquent même plus l'erreur judiciaire, mais s'effondrent, se laissent aller.

Georges se rabougrit. Il a maigri, n'élève plus la voix. Il ne semble plus avoir d'opinions tranchées sur rien. Ce n'est pas une question d'âge. Mélanie se souvient des indignations d'Édouard devant la télévision. Et de sa voix tonnante quand le sel ou le poivre n'étaient pas sur la table ou qu'il lui manquait sa serviette. Ou quand il recevait un faire-part, de mariage ou de décès, qui n'était pas rédigé comme l'exigeaient les convenances.

Pour Édouard, jusqu'à la fin, il y a eu un ordre des choses. Y croyait-il ? En tout cas, il le respectait, convaincu d'en tirer profit. Ce qui était vrai.

Georges n'a même pas remarqué qu'elle a trouvé le moyen de lui servir ses plats préférés, qu'elle a enfilé la robe qu'il aimait, coiffé ses cheveux en arrière comme il le lui demandait : « J'aime voir ton front, je puis y lire tes pensées ! »

Ses pensées, il s'en moque bien ! Mais il est quand même venu : « Je suis demain dans ta région, lui a-t-il dit au téléphone, j'ai quelqu'un à voir à une vingtaine de kilomètres de chez toi... Je peux venir déjeuner, si tu m'invites. »

« Chez elle », pour l'heure, c'est plutôt « chez Violette », mais Mélanie a évité de le lui faire remarquer. En raccrochant, son cœur battait. Elle a levé la tête vers Violette, attirée par la sonnerie — rare — du téléphone :

— C'est Georges, il s'annonce pour demain à déjeuner.

— Très bien, je vais lui faire son lapin chasseur, et puis j'irai visiter la Marie qui m'attend depuis des semaines. Les amoureux, faut les laisser seuls...

— Les amoureux ?

Sans répondre, Violette a fait ce vieux geste qui consiste à tirer du doigt sur sa paupière inférieure afin de montrer le blanc de l'œil, comme pour dire : Je sais ce que je vois et je vois ce qu'il y a à voir. Pas la peine de chercher à m'en faire accroire !

Sur le coup de onze heures, la chère femme avait enfourché son deux-roues et, après quelques ultimes recommandations sur la façon de réchauffer le fricot, elle était partie.

— Je ne reviendrai que ce soir, a-t-elle averti. Ou demain, si vous préférez. La Marie me gardera bien...

— Pas la peine, Violette. Georges m'a dit qu'il avait rendez-vous dans l'après-midi. Il repartira aussitôt après déjeuner...

— Il ne sait pas profiter du bon de la vie, votre Georges..., a-t-elle grommelé avant de démarrer.

Le bon de la vie, où est-il ?

Mélanie le dévisage, c'est d'ailleurs tout ce qu'elle peut faire. Cet air ascétique que lui donne son amaigrissement lui va bien ; il est pâle, à peine plus grisonnant. Ses doigts sont si longs qu'elle n'avait jamais remarqué à quel point il a les paumes larges et musclées. Il est vrai qu'il se sert rarement de ses mains, en tout cas pour des besognes ardues. Pour les caresses, autrefois...

Leur silence a-t-il fini par lui peser ?

— Ça va, ton travail ?

— Je termine la traduction d'un roman américain, un best-seller écrit par une femme.

— C'est quoi ?

— Un policier. Ils appellent cela un *thriller*. Elle vend des millions d'exemplaires aux États-Unis. Ici, ça commence à prendre. Le précédent a pas mal tiré, c'est bon pour moi, mon éditeur me donne un petit pourcentage sur la vente en plus du forfait.

— Tant mieux. Déjà, il se désintéresse : Drôle de pays, plutôt désert. Tu ne t'ennuies pas ?

— Si.

— Alors, qu'est-ce que tu fais là ?

— J'ai mis la maison en vente.

— Tu n'as pas fait ça ?

Il se redresse soudain, comme révolté :

— Et ton père, que penserait-il ?

— Mon père est mort, je ne suis pas forcée de tenir compte du passé d'autrui. Il ne m'a d'ailleurs rien dit à ce sujet. Papa m'a laissée libre...

— Je croyais que tu aimais cette maison.

— Et moi, je croyais bien que tu m'aimais...

— Mais je t'aime !

— Georges, si tu m'aimais, tu ne me laisserais pas à l'écart...

Il se lève, va et vient.

— Je sais que c'est ce que tu penses, mais j'ai besoin d'être seul pour me retrouver. Tu comprends ça ?

— Non, pas bien.

— Tu vois que nous ne pouvons pas être ensemble ! Si tu ne comprends pas l'essentiel, comment veux-tu qu'on partage le reste ?

— Je pourrais t'aider...

— A quoi ?

— Je ne sais pas, à donner des coups de fil ?

— Cette manie qu'ont les femmes...

— Laquelle ?

— Vouloir faire les choses à votre place... Je n'aurais peut-être pas dû venir te voir.

— Tu as bien fait. Au moins, qu'on parle ! Tu me dis ce que tu veux, moi aussi je te dis ce que je veux — enfin, ce que je voudrais... Comme ça, on sait à quoi s'en tenir de part et d'autre. J'ai du mal à vivre seule...

— Trouve-t'en un autre.

— Ce sera toi ou personne.

Il se tait. Il pourrait lui répondre : « Pour moi, c'est pareil » ou « Prends patience, ça finira bien par s'arranger » ou encore : « C'est un mauvais moment à passer ; dès que j'aurai retrouvé du travail... »

Il retombe dans le silence. Ce mur épais, cotonneux. Comme s'il ne savait pas que ce sont les mots qui font vivre.

Quand ils ne tuent pas...

C'est peut-être sa façon à lui, insidieuse, de lui faire partager ce qu'il ressent. De la murer, elle aussi, comme il l'est en ce moment. Pour qu'elle sache ce que c'est que s'enliser tout vivant.

— Tu as de beaux bras, lui dit-il après avoir abaissé la vitre de sa voiture avant de démarrer.

Elle a envie de hurler.

Qu'est-ce qu'elle en a à faire, d'avoir de beaux bras, si elle ne peut les refermer que sur le vide ?

Il l'a embrassée sur le front en la quittant. C'est tout.

Oui, hurler !

— Alors, c'était bien, votre fiancé ? s'enquiert d'emblée Violette.

— On a rompu.

Violette lui décoche un coup d'œil :

— Vous voulez que je vous dise ? C'est de la querelle, pas plus. Faut être jeunes pour jouer à ces petits jeux-là. Tenez, j'ai ramené des œufs de sous la poule de la Marie. Mais je crois bien que vous avez pas faim...

Si, Mélanie a faim.

42

— Tante Mélanie, est-ce que je peux venir ?

Hermine ne l'appelle pas « tante », d'habitude, mais par son prénom. Mélanie a le sentiment que cette solennité constitue un changement dans leurs rapports.

— Venir où ?

— Eh bien, chez toi, à la maison...

— C'est que je n'y suis pas.

— Pourtant, j'ai fait le numéro.

— C'est un transfert d'appel. En fait, je me trouve chez Violette, dans la vieille ferme qui a appartenu à ses parents, tu sais, elle t'en a parlé.

Un instant de réflexion, puis la voix reprend, un peu plus haut perchée, presque désolée :

— Où est-ce ? Je peux peut-être venir quand même ?

— Au bout du monde. Tu sais ce qu'on va faire ? Je ne suis qu'à trois heures de voiture, je vais rentrer ; comme ça, je serai là pour t'accueillir...

— Mais cela va te déranger ?

— J'allais de toute façon revenir, j'ai des choses à régler en ce qui concerne la maison.

Le téléphone raccroché, Mélanie s'est sentie ragaillardie : un être plus jeune a besoin d'elle.

Violette, prévenue, décide sans tergiverser qu'elle accompagne Mélanie :

— Vous aurez besoin de moi. Après tout ce temps, la poussière a dû s'accumuler... Sans compter les traces.

— Quelles traces ?

— De tous les pékins qui ont dû visiter. Ça m'étonnerait qu'ils se soient essuyé les pieds au retour du jardin...

C'est avec gaieté que les deux femmes sont montées dans la voiture : sans se l'être dit, elles en ont toutes deux assez de ce tête-à-tête implacable.

En pénétrant dans la maison, Violette s'écrie :

— C'est bon de rentrer chez soi !

Mélanie le ressent tout autant. Reste qu'elle croit devoir rappeler :

— Mais la maison est en vente, Violette !

— En attendant, elle est toujours à vous. Vous avez vu le monceau de publicités et de journaux à votre nom dans la boîte à lettres... Il y a même un mot doux du percepteur. Tant qu'on paie, c'est qu'on est propriétaire, non ?

C'est sans irritation, pour une fois, que Mélanie décachette la correspondance du fisc : ses services lui annoncent qu'ils ont pris bonne note du changement de nom du contribuable. Tout est en règle, elle n'a plus qu'à s'acquitter des impôts dus dans un délai convenable. Elle fera le chèque plus tard. Pour l'instant, il s'agit de faire les lits, remettre le Frigidaire en marche, y ranger ce qu'elles ont ramené de leur précédent logis. Jeter un coup d'œil au jardin qui se prépare à célébrer le printemps. Des pâquerettes — la petite fleur de Pâques — pointent leur nez dans le gazon.

Un peu avant l'heure, Mélanie est sur le quai, à faire les cent pas. Elle aime cette petite gare à taille humaine : on peut y tenir sous le regard toutes les voies ensemble, les trains à l'arrivée, ceux du départ, au lieu de se sentir égaré comme dans les immenses halls parisiens, ou dans la gare Saint-Jean à Bordeaux, la Saint-Charles à Marseille. Ici, on comprend pourquoi tant de chansons, d'histoires ont couru et courent encore sur les chefs de gare et leurs convois. La gare est un littoral soumis aux marées du trafic, d'où l'amour reflue pour mieux revenir.

Puis le train s'annonce dans un crissement de métal, un Corail quelque peu poussif d'où descendent une poignée de voyageurs cernés par une classe d'enfants et leurs moniteurs.

Pas d'Hermine. A-t-elle raté le train, changé d'avis ? Mélanie n'aura-t-elle jamais que de fausses joies avec sa nièce ?

Soudain, la voilà ! Un peu essoufflée, ses sacs de voyage en pagaille, plus belle, plus épanouie que Mélanie ne s'en souvenait. Elle sourit, pour une fois, de toutes ses dents :

— Excuse-moi, j'ai failli rater la station, je ne me rappelais pas qu'elle était si près de Niort... J'ai entendu mon voisin dire : « Tiens, on y est ! », j'ai regardé par la portière, j'ai vu le nom de la gare et j'ai eu juste le temps de sauter sur mes pieds ! Ça va ?

— Et toi ?

— Je te raconterai... Plus bas : Je suis contente d'être là !

Des paroles qu'on pourrait croire convenues ou de circonstance mais, cette fois, le courant passe.

Hermine se tient coite en entrant dans la maison. Elle doit se rappeler la sinistre journée de l'inventaire, la façon dont sa mère et elle avaient d'une même voix insulté le logis.

— Où veux-tu t'installer ? Dans la chambre rouge, où tu seras indépendante, ou dans la petite, à côté de la mienne, en partageant la salle de bains ?

— Je préfère près de la tienne. C'est là que je couchais quand je venais voir grand-père...

C'est dit, là aussi, avec chaleur. Pourtant, Hermine, enfant, prétendait ne pas aimer ces séjours obligés dans la maison grand-paternelle où les distractions de son âge manquaient. Mais pas le confort, ni les livres, ni les petits soins, ni l'affection.

Est-ce ce qu'elle vient chercher aujourd'hui ? Cet amour sans conditions que seuls vous offrent ceux pour qui vous représentez quelque chose d'infiniment précieux : la continuation de leur propre vie ?

Violette leur a préparé un dîner à sa façon : soufflé, jarret de veau aux carottes, qu'elle a confectionné en un rien de temps. Là aussi, c'est de l'amour, et Mélanie est allée chercher dans la cave une des vieilles bouteilles laissées par Édouard. A propos, que fera-t-elle du vin, une fois la maison vendue ? Elle n'aura plus où l'entreposer. Bien sûr, elle peut le vendre, lui aussi — à perte.

— Elles sont jolies, ces vieilles assiettes, dit Hermine en prenant la sienne entre ses mains.

— Elles ont appartenu à ta grand-mère. C'est de la faïence. Le beau service en porcelaine est dans le haut du buffet. Je croyais que tu n'aimais que le neuf ?

La question est insidieuse. Hermine se contente de sourire.

— Comment va ta mère ? s'enquiert Mélanie quand elles en sont à l'infusion, servie sous le vieux lustre à pendeloques de cristal.

— Maman et toi ne vous entendez pas, lâche Hermine en guise de réponse.

— Tu viens seulement de t'en apercevoir ?

— C'est que...

— Quoi ?

— J'ai compris que ça ne me concerne pas. Ce que Maman pense de toi, ce que tu penses d'elle, je m'en fiche.

Mélanie se laisse aller sur son fauteuil. Il lui semble que tout son corps s'abandonne, comme si elle arrivait, fatiguée mais heureuse, au terme d'un long voyage.

— Tu ne m'en veux pas ? interroge Hermine.

— De quoi... ?

— De tout ce que j'ai pu te dire, avant...

Autant être sincère.

— Ça m'a fait du mal. Mais pouvais-tu faire autrement ?

Nouveau silence, ponctué par les bruits de la vaisselle entrechoquée que Violette préfère laver sur l'évier. « Ça va plus vite, dit-elle, et je peux la ranger aussitôt ».

— Je suis enceinte, lâche Hermine.

Maintenant, c'est le tic-tac de la grosse horloge que Mélanie perçoit avec acuité.

Quelque chose vient de changer dans le monde. Son monde. L'avenir s'est rapproché, rejetant le passé loin derrière. Pour cela, trois mots ont suffi.

— Maman ne le sait pas...

— Tu vas le lui dire ?

— Pas encore, en tout cas. J'ignore comment elle le prendra.

— Elle a peut-être envie d'être grand-mère...

— Justement ! Je ne veux pas qu'elle me le vole.

La jeune femme a posé les mains sur son ventre, plat pour l'instant.

C'est le moment de poser la question :

— Et son père, il doit avoir un père, cet enfant... ?

— Non.

— Comment ça ?

— Le père n'est pas prévenu.

— Pourquoi ?

— On s'est fâchés. Il voulait que j'aille vivre avec lui, que je l'épouse...

— Où est le mal ?

— Je n'en ai pas envie. Enfin, pas mainte-

nant. C'est pour ça que je suis venue chez toi.
Pour réfléchir.

— La maison t'est ouverte, restes-y autant
que tu voudras. Sois libre...

— Je ne sais pas si je le suis !

— Je suis contente que tu le reconnaisses,
c'est ton problème. Si déjà tu le vois en face, tu
touches au but... Mais laisse-moi te dire une
chose...

— Laquelle ?

— Tout enfant a besoin d'un père en plus
d'une mère. Pour devenir libre à son tour.

Violette passe la tête par l'entrebâillement de
la porte : « Je vais me coucher... » Violette non
plus n'a pas eu d'enfant et Mélanie a le sentiment que si elle apprenait la nouvelle, elle en
serait toute réjouie. Mais c'est le secret d'Hermine, pas le sien.

La jeune femme se lève pour embrasser Violette, ce qui est une façon de lui annoncer qu'il
y a du nouveau. Et du bon : la vie ne peut pas
être que négative.

— Dors bien, ma grande, lui dit Violette.
Sous le coup de l'émotion, elle a retrouvé le
tutoiement du temps de l'enfance d'Hermine.

— Toi aussi, répond pareillement Hermine.

Lorsque Mélanie s'introduit entre ses draps
blancs, elle s'étonne : il ne s'agit que d'un
embryon pas encore viable, d'un presque rien ;
pourtant, il est déjà doué d'une telle puissance...

Elles n'ont pas évoqué Édouard. Mais il est

là, autour d'elles, du seul fait qu'il a conservé puis leur a transmis la maison. « Comme s'il avait prévu, se dit Mélanie, que nous aurions besoin d'un abri. »

43

Pendant plusieurs jours, le téléphone ne sonnant pas, les trois femmes vivent en état de grâce. « Sans doute Georges me croit-il à la ferme, se dit Mélanie. Peut-être m'a-t-il écrit là-bas, mais comme nous n'avons pas pensé à faire transférer le courrier... »

Ce sera pour plus tard. Pour l'heure, le silence, la tranquillité lui conviennent. Seul indice de la grossesse d'Hermine : elle dort beaucoup, et Mélanie en fait autant, comme si c'était contagieux, qu'elle vivait la gestation de sa nièce par procuration.

« Est-ce cela, attendre un enfant ? songe-t-elle. S'extraire des contingences pour se retrouver dans une autre dimension plus vaste, plus sereine... ? »

Sa propre mère, en son temps, avait-elle été heureuse de la renfermer dans son ventre ? Mélanie était si jeune, lorsqu'elle est morte, qu'elles n'ont pas eu l'occasion d'en parler.

Yolande non plus n'a pas eu les paroles de sa mère pour la préparer à l'enfantement. Est-ce pour cela qu'elle n'a fait que s'en plaindre, protestant contre l'envahissement ? « Ce qu'il est laid, ce gros ventre que je me paie ; et puis, ça m'empêche de faire ce que je veux j'ai hâte d'en être débarrassée... » Faute qu'on le lui ait appris, voire permis, elle n'a pas pu savourer la magnificence de son état. Quand elle a accouché, ce fut à la manière d'une bête qui, ne sachant pas qu'elle est prise, n'en revient pas de voir ce petit bout de vivant accroché à ses mamelles.

Est-ce pour ne pas avoir été préparée à la présence d'un être nouveau en elle, puis à la séparation, qu'elle s'est refusée à se détacher de sa fille, une fois née, comme si « la chose » faisait toujours partie de son corps ?

Mais comment se fait-il qu'aujourd'hui elle ne cherche même pas à la localiser ? Sans doute Yolande ne peut-elle concevoir que la petite se trouve chez sa tante, elle doit la croire encore en fugue, se faire un sang d'encre !

Mélanie s'étire : tant pis pour sa sœur si elle n'a pas su devenir mère à la façon des humains, en dispensant à son enfant un amour non dévorant.

Soudain, le téléphone sonne.

Violette, proche de l'appareil, est allée répondre. Elle revient, la figure de travers.

— Il dit qu'il est l'agence !

— Je prends.

L'agent immobilier a un client qui, en leur absence, a visité la maison seul et qui entend la revoir avec sa femme avant de se décider. Le prix lui convient, un léger rabais serait de bonne guerre, mais c'est comme si c'était fait. Ils vont passer après déjeuner, si elle veut bien.

Pourquoi Mélanie a-t-elle dit oui ? Peut-être parce qu'elle n'a pas de prétexte à invoquer pour dire non. Elle est libre, la maison aussi...

Le repas est lugubre. Les deux femmes, prévenues, n'ont émis aucune remarque. Hermine s'est contentée de murmurer : « Je ferais bien de ranger ma chambre... »

Violette a rétorqué : « Eh bien moi, je laisse ma cuisine comme elle est, tant pis pour eux ! »

Au moment de se retirer chez elle avant l'arrivée des candidats acquéreurs, Hermine demande :

— Comment s'appelle la pièce de Tchékov où ils sont obligés de vendre la maison ?

— *La Cerisaie,* murmure Mélanie.

Depuis quelque temps, le titre lui trotte dans la tête.

— Ah oui, c'est ça, merci, lâche Hermine sans autre commentaire.

La femme, blond décoloré, un sourire plaqué, est tout de suite antipathique à Mélanie.

— On ne vous dérange pas ? crie-t-elle en la bousculant presque pour pénétrer d'un pas décidé dans la maison.

« Se croit-elle déjà chez elle ? » se demande Mélanie tandis que le mari, plus courtois, se présente et déclare :

— Vous avez une agréable maison... Puis, comme pour se rattraper d'avoir flatté l'objet sur lequel il entend obtenir un prix : Mais elle doit être bien humide, l'hiver...

— C'est vrai qu'il pleut beaucoup par chez nous, s'entend répondre Mélanie. Mais nous y sommes habitués... Ça fait du bien à la végétation.

L'agent immobilier tente de corriger :

— Madame Boyer exagère, nous n'avons pas d'hiver pluvieux chaque année, celui-ci est exceptionnel. Et puis, la maison est particulièrement protégée, il y a des doubles-cloisons au rez-de-chaussée...

La voix perçante de la femme blonde leur parvient :

— Quel trajet jusqu'à la cuisine !...

Là encore, l'agent intervient :

— Mais vous pouvez changer l'emplacement de la salle à manger, la pièce qui sert de petit salon serait épatante, avec une grande table... J'ai fait ça chez moi : j'ai transformé un appentis en salle à manger, ce qui fait que ma femme n'a pas à courir pour apporter les plats. C'est qu'on n'a plus de service, aujourd'hui ! ajoute-t-il au moment précis où apparaît Violette, tenant un plateau sur lequel reposent les verres de cristal à ranger dans le buffet.

Sans saluer, Violette se contente de toiser le trio des envahisseurs. L'agent est le premier à se ressaisir :

— Je crois me souvenir, madame Boyer, que vous êtes prête à céder les meubles et leur contenu en même temps que la maison ?

— Je l'ai dit, en effet.

— C'est que nous avons notre mobilier, intervient l'épouse.

— Il n'est peut-être pas dans le style, ajoute son mari, hésitant.

— Moi, tranche sa femme, j'aime le moderne !

Une vision de Formica envahit l'esprit de Mélanie.

— Cela ne fait rien, dit l'agent-qui-a-réponse-à-tout, madame Boyer m'a dit qu'elle fera mettre en vente ce dont vous ne voudrez pas...

— Il y a peut-être des petites choses de valables..., lâche l'homme en soulevant la grande potiche de Chine.

Mélanie la lui prend des mains pour la remettre en place.

— Ça, c'est accessoire, voyons d'abord l'essentiel, reprend la femme.

La formule fait sourire Mélanie : l'accessoire, l'essentiel... Difficile à distinguer, parfois.

— C'est du Louis-Philippe ou du Napoléon III ? interroge l'homme en caressant le dessus du monumental buffet de la salle à manger. Sur ce, il coule un regard doux vers Mélanie. « Ma parole, il me drague ! » se dit-elle, stupéfaite puis amusée.

C'est vrai qu'il y a quelque chose d'érotique dans cette façon qu'ont des étrangers de pénétrer brusquement dans votre chambre à coucher, votre salle de bains, d'inventorier d'un coup d'œil le contenu de vos placards...

— Puisqu'on est dans les toilettes, minauda soudain la femme blonde, je vais tous vous mettre à la porte et faire un petit pipi, cela me permettra de juger de la plomberie ! Autant l'essayer pendant qu'on y est... Charles, vérifie si les volets sont bien opaques, je ne peux dormir que dans le noir complet !

« Suis-je un hôtel ? » se demande Mélanie tandis que Charles ouvre la fenêtre, non sans avoir murmuré : « Je peux ? » Après avoir fermé puis rouvert les lourds volets de bois, il se penche pour contempler la vue :

— C'est quoi, ça ?

— La chapelle Sainte-Eanne.

— Et cette tour, là-bas ?

— La lanterne des morts...

« Mais c'est l'inventaire qui recommence ! » songe Mélanie à part soi.

Cette fois, c'est elle qui l'a voulu, ce qui fait que l'opération devrait être supportable. Elle se révèle au contraire plus douloureuse, puisque c'est elle qui offre la vieille maison aux regards fouineurs d'étrangers.

Même si les meubles ne doivent plus être les mêmes, elle imagine la femme se prélassant dans le lit qui fut celui de son père, l'homme assis à son bureau.

Est-ce l'horreur qui l'emporte, ou le grotesque ?

44

— La chambre au-dessus du garage est-elle toujours là ?

— Où veux-tu qu'elle soit ?

— Est-ce que tu me la louerais ?

— Pour quoi faire ?

— C'est long à t'expliquer, il faudrait que je te voie... Tu rentres quand à Paris ?

— Je n'ai rien projeté.

— Alors, puis-je venir t'en parler ?

— Enfin, Georges, bien sûr...

— C'est que je ne voudrais pas te déranger...

Il souhaite lui louer une pièce et craint de la déranger ? Mais enfin, qu'a-t-il ?

— Je suis seule avec Hermine et Violette.

— Hermine ? Et comment cela se passe-t-il ?

— Très bien.

Un silence.

— Bon. Si tu n'y vois pas d'inconvénient, j'arriverai demain par le train de midi...

— J'irai te chercher à la gare.

Le téléphone raccroché, Mélanie se dit qu'il va lui falloir annoncer la nouvelle à Hermine et à Violette : un homme arrive.

Chacune réagit à sa façon : « Il vient pour acheter, lui aussi ? » ironise Hermine. Quant à Violette : « Il sait que vous vendez ? »

Mélanie s'aperçoit qu'elles ne pensent qu'à ça, l'une comme l'autre, et que tout le reste est devenu secondaire. En est-il de même pour elle ?

L'agent est revenu à l'improviste avec un drôle de client, maniéré, précieux, manifestement homosexuel. Il avait prévenu Mélanie :

— Quand je fais faire le tour des maisons à vendre à un client, je m'aperçois parfois qu'il cherche le contraire de ce qu'il m'a décrit : une grande maison au lieu d'une petite, une ancienne au lieu d'une neuve. Je dis alors : « Tiens, puisqu'on passe par là, je vais vous montrer quelque chose qui n'est pas du tout pour vous ! » Souvent, c'est le déclic ! Le client a le sentiment de faire une découverte personnelle, et se décide sur-le-champ.

Courtois, élégant, l'homme a demandé à faire le tour des lieux, seul. Demeurée au rez-de-chaussée, Mélanie l'a entendu ouvrir les portes l'une après l'autre. A un moment donné, il s'est penché par-dessus la rampe pour considérer la cage d'escalier, puis, quand elle est allée faire un tour au jardin pour se passer les nerfs, elle l'a aperçu qui la considérait depuis une fenêtre du second étage.

Quand il est redescendu, il s'est approché de l'agent et lui a murmuré quelque chose à l'oreille avant de ressortir. Par le haut vitré de la porte d'entrée, Mélanie l'a vu prendre la mesure de la façade.

— C'est fait, il achète, votre prix sera le sien ! jette l'agent, triomphant.

Mélanie s'entend répondre :

— Je ne peux pas donner ma réponse tout de suite...

— Comment ça ? C'est une chance, il ne faut pas la laisser s'échapper. Mon client est un grand photographe, il a un coup de cœur, la lumière lui plaît, m'a-t-il dit, mais il peut se raviser...

— J'attends quelqu'un qui arrive par le train de midi, objecte Mélanie. Et elle ajoute : C'est un ami qui est lui aussi acheteur...

Comme elle voit l'agent déconfit, elle reprend :

— Ne vous en faites pas, s'il conclut, je vous accorderai un pourcentage, puisque j'ai passé contrat avec vous...

Puis elle le repousse fermement vers la rue. L'agent rejoint son client avec lequel il entame un conciliabule, tout en marchant.

Un intense soulagement s'empare de Mélanie. Plus exactement, elle se rassure. Dès l'instant où elle a compris qu'il lui suffisait de dire *oui* pour que la maison soit vendue, la panique s'est emparée d'elle. Une terreur qui lui a serré le ventre et à laquelle elle ne s'attendait pas du tout. Que s'est-il passé en elle ? Elle n'en sait rien, mais Georges lui a servi d'alibi.

Hermine et Violette la rejoignent, à la fois curieuses et accablées : Alors ?

Mélanie préfère mentir :

— Ça ne lui a pas plu. Trop grand pour lui.

Les deux femmes se mettent à sourire :

— On est donc en sursis ! s'exclame Hermine.

— Je me disais bien, aussi. Un homme seul, qu'est-ce qu'il aurait fait dans cette vieille baraque ? Il se serait ennuyé à périr..., grommelle Violette qui s'apprête à retourner à sa cuisine. C'est pas tout ça, ajoute-t-elle, faut que je prépare le déjeuner de votre Georges. Il est fine gueule : n'importe quoi, c'est pas pour lui...

« Moi aussi, je suis seule, songe Mélanie, mais il ne vient pas à l'idée de Violette que je puisse m'ennuyer... »

En roulant sur le pont pour aller à la gare, elle aperçoit l'agent immobilier en compagnie de son client, tous deux penchés sur le parapet. L'agent pérore, l'homme ne dit mot.

« Celui-là n'est pas antipathique », se dit Mélanie. C'est même le mieux parmi tous ceux qu'elle a vus jusque-là. Il avait vraiment l'air de comprendre la maison, d'être disposé à l'aimer.

45

« Qu'est-ce que c'est que ça ? » se demande Mélanie en manipulant une boîte confectionnée dans une matière marron, bordée de noir, qu'elle tourne et retourne sans en percer le maniement. La veille, elle n'a pas su ouvrir une montre ancienne en forme d'oignon dont elle souhaitait vérifier le mécanisme.

En revanche, elle a vite compris que le minuscule étui en argent découvert dans un carton — contenant aussi du caoutchouc à boutonnières pour corsets, un morceau de dentelle, des boutons de nacre, etc. — servait à emmagasiner des allumettes : un frottoir était incrusté dans l'un de ses bords. Sur une face, le « M » de Montroy, le nom de jeune fille de son arrière-grand-mère, se trouvait gravé, entrelacé au « B » du patronyme de son mari.

Une fois le petit objet restauré à l'Argentil, Mélanie l'introduit dans la poche plaquée de son jean, comme devait le faire son arrière-grand-mère dans celle, plus ample, d'une de ses longues jupes de coutil. A l'époque, bougies, lampes à huile, âtre, cuisinière à bois réclamaient sans cesse des allumettes. Il était bon d'en avoir toujours sur soi. Mais pourquoi si élégamment présentées dans un étui qui — sauf perte — ne pouvait que survivre à son possesseur ?

« Comme s'il s'agissait de se manifester par le truchement des choses après de ses descendants », se dit Mélanie.

Toutes les civilisations, même les plus primitives, ont pareillement travaillé pour l'éternité. Bâtissant des monuments qui sont des messages à la postérité, certes, mais aussi des ornements, des outils, des instruments usuels jusqu'aux premiers silex.

— Que fais-tu là ? Tu rêves ?

Georges vient d'entrer dans la pièce où Mélanie se tient assise près de la table ronde, avec devant elle une série d'objets disparates à fourbir ou à dépoussiérer.

— Je range.

Il pose la main sur son épaule et elle lève les yeux vers lui :

— Savais-tu que l'éternité se trouve dans les choses ?

— La physique quantique m'a appris que les atomes sont éternels...

Il a le sourire qu'elle aime, chaud, rassurant. Dès qu'elle l'a aperçu sur le quai, son bagage au bout du bras, Mélanie a compris que quelque chose en lui avait changé.

Georges l'a sur-le-champ étreinte avec force et elle s'est dit qu'elle ne lui poserait pas de questions. Il parlerait à son heure.

Une fois dans la maison, Georges s'est dirigé vers la chambre rouge, sûr d'y être attendu, ce qui était vrai. Violette avait fait le ménage à fond, mis des draps blancs, Mélanie une bouteille d'eau d'Évian sur la table, un verre, un flacon de lavande près de la toilette.

Hermine l'a accueilli sans états d'âme apparents. Impossible de savoir ce que Georges pensait de son côté. Jusqu'au soir, ils n'ont échangé que des propos sur le printemps qui finirait par arriver, la circulation qui empirait, comme partout ailleurs. Ils ont un peu regardé la télévision, les nouvelles. Violette est allée se coucher la première, puis Hermine.

— Elle est bien, cette jeune femme, a dit Georges. Je ne m'attendais pas à la trouver aussi posée, après tout ce que tu m'en as raconté.

— Elle a changé. Mais toi aussi...

— Je suis peut-être enceint...

— Raconte.

Ce fut vite fait :

— J'ai créé une société ; ou, plus exactement, je me suis inventé un métier. Puisque personne ne veut de moi dans une entreprise, j'ai décidé de travailler en *free-lance*. Le plus grand chantier du monde moderne, c'est quoi ?

— Je ne sais pas : la guerre ?...

— La guerre, oui, mais la guerre économique. Ce qui signifie que le plus grand chantier actuel est celui de la finance. Là, j'ai ma place...

— Comment ça ?

— A domicile, par ordinateur.

— Comment cette idée t'est-elle venue ?

— Cela se pratique déjà aux États-Unis. Des gens avertis font gagner de l'argent aux autres en travaillant en liaison avec toutes les Bourses du monde...

Il s'est levé, va et vient.

— Tu sais, les métiers comme on les apprenait en classe — le boulanger, le mercier, le docteur, le pharmacien... — ne sont plus aussi définis qu'ils l'étaient. Un glissement se produit. Il faut le précéder. J'ai déjà commencé à Paris : ça marche ; je vais continuer ici, si tu veux bien me louer ta pièce.

— Pourquoi louer, Georges ?

— Parce que j'ai besoin d'une adresse professionnelle. Si je donne la tienne, il ne faut pas que tu sois impliquée...

— Georges, une chose me demeure obscure : pourquoi veux-tu t'installer ici ?

— J'en ai marre de Paris.

Il s'approche d'elle, lui passe le bras autour des épaules :

— Mais pas de toi. Il se recule : Reste à savoir ce que tu penses.

— C'est vrai, répond Mélanie, je ne sais plus ce que je pense, ces temps-ci.

— Autre condition : que tu ne vendes pas la maison. Remarque, si tu m'accordes un peu de temps, j'aurai les moyens de l'acheter...

Mélanie se met à rire. Ce qu'elle avait invoqué comme argument à l'agent immobilier pour refuser l'acquéreur est en train de s'avérer. Comme si elle avait eu une prémonition.

— Si mon petit-neveu n'en veut pas, je te la céderai peut-être...

— Qui c'est, celui-là ?

— Le futur enfant d'Hermine...

— Mais on ne peut pas être une minute tranquille sur cette terre ! On se croit deux : illusion, on est déjà une foule... Ils se reproduisent à vue d'œil, dans cette nouvelle génération ! Ce n'est pas correct vis-à-vis de nous !

Puis il l'embrasse. Comme la première fois, dans la voiture.

« C'est drôle, songe Mélanie, comme les hommes sont dépendants de l'image qu'ils se font d'eux-mêmes. Celui-là a besoin d'avoir une situation, fructueuse au surplus, pour savoir m'aimer... »

Elle-même se fait une autre idée de l'amour. Parce qu'elle est une femme.

46

Il est onze heures du soir quand Georges la saisit par la main pour l'entraîner vers ce qui est devenu sa chambre. Mélanie le suit avec réticence. Elle devine son intention et craint un nouvel échec. Non pour elle-même — il lui semble que cela ne l'atteint plus —, mais pour lui.

Ça marche.

Georges devait le pressentir, car il accomplit les gestes de l'amour sans la moindre hésitation. Cela rappelle le temps où ils se donnaient rendez-vous dans des hôtels.

C'est plutôt Mélanie qui est crispée, comme lorsqu'on s'attend à un fiasco et qu'on a déjà en tête les paroles à prononcer. Georges, pour ce qui le concerne, semble amusé, presque taquin.

— Détends-toi ! Pourquoi es-tu si raide ?

— C'est que...

Elle ne va pas lui rétorquer : c'est que je pensais que tu n'y arriverais pas. N'empêche qu'elle s'interroge. A-t-il suivi un traitement ? Est-ce le fait d'avoir rétabli sa situation qui lui a redonné non pas la vigueur — il n'en a jamais manqué —, mais la conviction qu'il est un mâle capable de dominer les femelles, qui a pour rôle de les faire jouir ?

Telle la trop curieuse allumant une lampe pour voir enfin la figure d'Éros, son amant, elle ne peut s'empêcher de le questionner. Sans doute Mélanie a-t-elle oublié la légende mythique, ou bien ne pense-t-elle pas qu'elle s'applique à leur cas.

— Comment cela t'est-il revenu ? Tu as fait quelque chose ?...

Il s'est dressé sur un coude. La regarde :

— Oui et non...

Elle sent qu'il hésite :

— Eh bien, dis-moi !

— Tu crois vraiment que tu as envie de savoir... ?

— Bien sûr, puisque je t'aime et que ce qui te concerne me concerne aussi... En particulier sur ce plan-là !

— Il a fallu réamorcer...

— Tu es allé voir les putes ?

— Pas exactement, mais presque.

Pourquoi n'en reste-t-elle pas là ? Elle se le demandera plus tard, s'en voulant de cette curiosité maladive qui anime chacun quand il s'agit du sexe, comme si elle n'avait jamais été satisfaite. Qu'il restait à apprendre, à comprendre, dans le vain espoir de contrôler ce qui ne peut l'être.

Georges est un homme et lui parle comme à un autre homme, ce qui est son tort.

— Tu te souviens de la petite, chez ma tante ?

— La jeune fille au pair ?

Quelque chose se fige tandis qu'elle revoit en pensée les longs cheveux blonds, l'air d'ange convenu de cette fille qu'elle n'a aperçue qu'une fois. Elle réentend la voix acide dire à la vieille dame placée sous sa garde : « Vous voulez quelque chose, Madame Devrières ? »

Avant que Georges n'ait achevé sa confidence, Mélanie entend la même voix reprendre son antienne à un mot près : « Vous voulez quelque chose, Monsieur Devrières ? »

— C'est drôle, poursuit l'homme, toujours inconscient de l'effet de ses paroles chez sa compagne, je n'y pensais pas... C'est elle — ce n'est pas pour l'accuser — qui a pris des attitudes la première. Une façon de se pencher, avec une jupe comme elles en portent aujourd'hui, tu sais, de plus en plus mini... Un soir, passant près d'elle, je lui ai mis la main aux fesses, cela m'est venu comme un réflexe. Le reste a suivi... Après tout, bander est un réflexe ! Il pose la main sur le ventre nu de Mélanie : J'avais tellement envie de toi, tu comprends... C'est ce qui achevait de me bloquer. Avec celle-là, il n'y avait pas de sentiment, rien que de l'érotisme. Alors, c'est reparti.

— Tu comptes la revoir ?

La voix de Mélanie est glaciale.

— Tu es folle ? D'ailleurs, je suis parti dès le lendemain de chez ma tante.

— Dommage, tu aurais pu l'épouser, lui faire un enfant. Ça rajeunit les vieux messieurs de se payer un tardillon...

Georges la dévisage, sidéré.

C'est son « rien que de l'érotisme » qui a déclenché les images : la fille à quatre pattes, lui à peine déboutonné, déjà dans son dos, un bout de cuisse blanche entre le bas noir et le slip qu'elles ôtent d'un tour de main, les garces, en conservant leur porte-jarretelles.

Intolérable.

Mélanie passe à la hâte son chandail.

— Où vas-tu ?

— Dans ma chambre.

— Pour quoi faire ? Reste avec moi...

— Je ne peux pas.

— A cause de cette fille ? Je ne sais même plus son nom...

— Elle s'appelle Vera.

— Enfin, Mélanie, ne sois pas stupide ! Je croyais que ça t'amuserait ! Nous lui devons une fière chandelle, toi et moi !

— Ta chandelle, tu peux la garder pour ta Vera !

Elle ne se croyait pas capable d'être grossière, or elle doit se retenir pour ne pas l'être davantage. Des mots inhabituels lui viennent aux lèvres : traînée, putasse, goton, autoroute, trou à bites...

Il y en a tellement pour désigner l'autre, celle qui fait bander l'homme qu'on aime. D'autant plus excité que ce corps indifférent ne représente pour lui que de la chair à plaisir.

47

— Arrête de parler comme ça !

Mélanie a fermé les yeux, excédée, tandis que Yolande, violentant sans scrupules choses et gens, reconstruit le monde à sa façon, faussant les faits, déformant les événements, recourant au besoin au mensonge pour que la réalité concorde avec l'idée qu'elle s'en fait.

Grâce à la cohérence forcée qu'elle impose à son environnement, elle a toujours raison. Comme un enfant qui aurait peinturluré tout ce qui l'entoure en rouge, jusqu'à l'herbe et aux cailloux, et qui s'exclamerait : « Vous voyez bien que j'ai raison : le monde est rouge ! »

— Ce garçon qui lui a fait un enfant, la pauvre, Hermine n'en a rien à faire, les hommes ne servent qu'à vous faire souffrir. Vois toi-même ce qui t'arrive avec ton Georges ! Il ne faut pas qu'elle le revoie. Toi aussi, tu dois éviter ce salaud qui te trompe avec la première venue. Nous serons tellement mieux entre femmes.

La maison aussi a eu droit à son traitement de choc :

— Tu aurais dû vendre, c'était la seule chose à faire ! Tu dois pouvoir rattraper ton acquéreur... Cette maison est inhabitable : trop grande, tout à refaire, la salle à manger à des kilomètres de la cuisine ! Et l'escalier : un casse-jambe... Sans compter ce que tu paies pour la chauffer, j'ai vu ta note de gaz (Yolande n'hésite jamais à fouiller dans les papiers d'autrui) : c'est un gouffre ! Tu dois pouvoir te prendre un petit appartement en étage, si tu tiens à rester dans ce trou... Mais tu serais mieux à Paris, près de nous, tu dois pouvoir vivre très bien sitôt que tu ne traîneras plus ce boulet...

« Tu dois pouvoir » est l'une des expressions favorites de Yolande. Elle signifie : « Puisque je le veux, moi, ça doit se faire... »

Elle a débarqué un matin sans prévenir et Hermine est partie au bout de vingt-quatre heures. Georges, lui, était rentré la veille à Paris. Furieux. Sans un mot. Ce qui fait que Mélanie s'est retrouvée seule avec Yolande, broyée par le chagrin. Est-ce pour cela qu'elle s'est laissée aller à lui faire des confidences ?

En fait, Yolande lui semblait différente, presque humaine après l'aveu qu'Hermine lui a fait de sa grossesse. Devant Mélanie.

S'attendait-elle à une explosion de sa mère pour avoir désiré que sa tante fût à ses côtés ?

Or, c'est très calmement que Yolande a « absorbé » — il n'y a pas d'autre mot — la nouvelle. « Décidément, s'est dit Mélanie, Yolande est imprévisible. »

Peut-être s'y attendait-elle, car elle a la tête qui marche, ou plutôt qui échafaude, et il lui arrive de tomber juste.

Elle avait dû songer qu'Hermine se retrouverait un jour enceinte et prévoir ce qu'elle leur a exposé aussitôt : « Nous élèverons l'enfant ensemble. Ce sera une fille ! »

Le lendemain, Hermine a téléphoné à plusieurs reprises sans dire à qui, puis a déclaré qu'il lui fallait regagner Paris, ne fût-ce que pour son rendez-vous avec le gynécologue. A la question de sa mère : « Vas-tu coucher à la maison ? », elle a répondu qu'elle irait chez des amis.

— Tu as un numéro de téléphone ?

— Je ne le connais pas, j'appellerai.

Ce fut tout.

Sur le pas de la porte, elle a murmuré à l'oreille de Mélanie en l'embrassant :

— Ça va aller, pour toi ?

— Très bien, a chuchoté Mélanie, touchée de sa sollicitude.

En réalité, ça n'allait pas du tout. C'était moins la présence de sa sœur qui la gênait que cette espèce de parallélisme que Yolande tentait d'établir entre elles deux.

A croire qu'elles avaient désormais le même destin et qu'il ne leur restait plus qu'à vivre côte à côte, après avoir « récupéré » Hermine et sa future fille.

Mais n'est-ce pas ce que Yolande avait toujours souhaité ?

Mélanie se rappelle comment sa sœur réagissait par le mutisme quand elle lui parlait de ses liaisons. En revanche, l'annonce de son divorce d'avec Hubert avait paru la satisfaire : « Eh bien, te voici à nouveau libre ! » Libre de quoi, sinon de se rapprocher d'elle ?

Au lieu de ça, Mélanie s'est mise à vivre avec leur père. Est-ce de voir ses souhaits contrecarrés qui a conduit Yolande à s'éloigner ? Au fond, elle devait souffrir. « Non qu'elle manquât d'amour, se dit Mélanie, mais elle n'arrivait pas trouver sa véritable place entre nous. Pourtant, Papa l'aimait. Moi aussi. Que lui fallait-il de plus ? »

Peut-être d'être la seule. L'unique. Sans aucune compétition d'aucune sorte.

Une maladie : tout ce qui existe en dehors d'elle lui fait de l'ombre.

— Il y a une question que je ne t'ai jamais posée, dit Mélanie pour interrompre le flot de paroles. Comment se fait-il qu'après la mort de Marc, tu ne te sois pas remariée ?

— Moi ? s'exclame Yolande.

Si Mélanie avait le cœur à se réjouir, elle le pourrait devant l'expression ahurie de sa sœur.

— Mais, pour quoi faire ?

Elle n'a pas dit : « Avec qui ? »

— Pour ne plus être seule, pour avoir un compagnon. Tu avais l'air heureuse, avec Marc. En tout cas, tu l'aimais.

Un silence tombe. Mélanie le ressent comme une blessure. Serait-ce la raison pour laquelle Yolande parle sans arrêt ? Si elle s'arrête, la douleur la prend. Une souffrance qu'elle est incapable de maîtriser, sans doute par qu'elle ne la perçoit pas.

— Au début, oui... Puis, après ce qu'il m'a fait...

— Que t'a-t-il fait, le pauvre ? Il avait l'air si doux et de bien t'aimer !

— Il m'a trompée !

— Marc ?

— Je suis revenue de voyage à l'improviste et je l'ai trouvé au lit, le nôtre, avec sa secrétaire.

Yolande la fixe et ne la voit pas. Ses yeux se sont enfoncés encore un peu plus, sa bouche est à moitié ouverte, un gouffre noir. Mélanie se rappelle lui avoir vu cette expression, il y a tant d'années, un jour qu'elle avait cassé sa poupée de porcelaine sur le carrelage. C'est celle du désespoir absolu. Mais Marc n'était ni une poupée, ni un jouet.

— Ça a été fini, je n'ai plus jamais voulu coucher avec lui.

— Pourquoi n'avez-vous pas divorcé ?

— Il y avait Hermine.

— Enfin, Yolande, tu comptes aussi ! Si tu étais malheureuse, il fallait le quitter !

— Il n'y avait pas de raison. Il a renvoyé cette femme et ne l'a plus revue. Et puis, il a été bien puni. Il a fait son premier infarctus peu après. Plus question de courir !

Là, elle a repris du sourire. Féroce.

« C'était donc ça ! se dit Mélanie. Elle a dû lui en faire tellement baver qu'il s'est rongé le cœur ! »

Maintenant, Yolande est tout à fait rassérénée :

— Tu penses bien qu'après une expérience pareille, je n'allais pas me reprendre un type ! Pour qu'il me trompe avec la bonne ? Ou la boulangère ? Tous les mêmes, tu es payée pour le savoir... Ça ne m'étonnerait pas qu'il lui arrive quelque chose, au tien aussi.

Elle est convaincue de lui faire plaisir en souhaitant la mort de Georges !

Mélanie sent les larmes lui couler sur le visage.

— Qu'est-ce que tu as ? demande Yolande, surprise. Ne me dis pas que tu le regrettes ! Tu ne dois plus y penser !

— C'est par pitié, murmure Mélanie.

— Tu as du sentiment à perdre ! Ces vauriens ne valent pas un pleur ! Qu'est-ce que tu tiens de joli dans la main ?

Mélanie lui tend le petit étui à allumettes de l'arrière-grand-mère qu'elle a machinalement extrait de sa poche.

— J'éprouve de la pitié pour les femmes. Pour toi, moi, Hermine...

— Pffuitt, on est les plus heureuses !

— Oui, Yolande, mais seulement quand on sait aimer.

48

Le printemps est au travail.

En compagnie du vieux Germain, anciennement employé aux jardins publics, maintenant à la retraite et heureux de venir lui donner un coup de main bien utile lors des changements de saison, Mélanie examine les pousses. Certaines sont microscopiques, il faut se pencher sur le bourgeon pour constater que les écailles brunâtres commencent à se soulever sur quelque chose d'un vert si pâle qu'il en paraît blanc. D'autres demeurent inertes.

— Le lagerstroemia doit être mort ! Regardez, Germain, chez lui, rien n'a bougé...

— Madame Boyer, vous me dites tous les ans la même chose ! C'est seulement que l'arbre est prudent. Tant qu'il y a des gelées dans l'air, il attend. Les rosiers, c'est autre chose, ils sont vivaces. Le grimpant a déjà mis des fleurs : un primeur, celui-là !

— Ce qui m'étonne, Germain, c'est que quelque chose d'aussi fragile qu'une feuille à ses débuts puisse ainsi forcer son passage. Les bourgeons, il y en a qui sont comme du bois !

— Mais ce n'est pas la feuille qui soulève les écailles !

— C'est quoi, alors ?

Le vieil homme se penche vers l'hortensia qu'il a déterré en fin d'automne sous prétexte qu'il était trop exposé au soleil en été, ce qui l'épuisait, et qu'il lui avait trouvé un coin plus ombragé. Il a placé ses deux grosses mains aux plis noircis par le terreau autour de la plante déjà piquée de petites pousses vertes semblables à des têtes d'asperges. Il a un genou en terre. C'est à l'hortensia qu'il chuchote, plutôt qu'à l'intention de Mélanie :

— C'est la sève ! Vous voyez, quand je le tiens comme ça, je le sens qui frémit : elle monte...

On pourrait croire à de la sorcellerie, à une expérience de magnétisme, mais Mélanie comprend qu'il s'agit d'amour. Les plantes sont des êtres vivants qui communiquent à leur façon végétale. Elles croissent d'autant mieux qu'elles se sentent mieux entendues. Protégées, aussi. C'est si facile de tuer une plante comme de la faire prospérer.

— Je vous laisse, Germain, il faut que j'aille téléphoner.

Mais où va-t-elle trouver Georges ? Est-il retourné chez sa tante ?

Après plusieurs appels, c'est Marie-Louise qui lui donne le numéro de l'ami chez lequel il s'est installé pour travailler.

— Je te dérange ?

— Non.

Il se tait, ne cherchant pas à deviner ce qu'elle lui veut, ni à lui rendre la tâche facile.

— Écoute, Georges...

— J'écoute.

— Voilà, je ne vends plus la maison.

— Ah.

— Tu vas me dire que ça ne te concerne pas. Mais, du coup, la chambre rouge reste libre. Si tu as toujours envie de venir t'installer ici...

Soudain, son ventre se serre. Peut-être s'est-il aperçu qu'il était mieux à Paris, qu'il y a des amis, ses enfants, tout un réseau... Peut-être ne veut-il plus d'elle, après la façon dont elle l'a repoussé ? Comme un criminel.

A elle de dire ce qu'elle doit dire, même si cela lui coûte de s'humilier.

— Je te demande pardon d'avoir parlé comme je l'ai fait. C'était excessif, je ne le pensais pas.

— Si, tu le pensais, et tu avais raison de le penser. C'est moi qui ai été maladroit, c'est à moi de te demander pardon...

Un silence. Par la véranda, Mélanie voit Germain, qui, cette fois, a placé ses mains en coupe autour du fuchsia. Il entend le déplacer, celui-là aussi, et lui a dit qu'il attendrait sa première montée de sève, qu'à ce moment-là la plante serait prête à reprendre n'importe où. Le vieil homme a dû juger que le temps était venu, car il se redresse, va chercher sa bêche, commence à creuser largement pour extraire la motte.

— Tu sais ce que je me suis dit, Georges ?

Qu'à nos âges, tout ce que nous avions à mettre en commun, c'est...

Elle ne sait comme achever pour que cela ne paraisse pas injurieux. Mais il a suivi sa pensée :

— Tu veux dire : notre déclin ?

Elle rit :

— Mettons : notre troisième âge. Je ne rajeunis pas. Tout de suite, elle ajoute : Ça ne veut pas dire que je me sente vieille, mais je change de goûts. Maintenant, j'ai besoin d'un jardin, et puis d'avoir une maison pour y recevoir des enfants jeunes, des bébés s'il en arrive...

Georges se tait toujours.

— Remarque, si tu as envie de voyager, je te comprendrais, mais moi, tu vois, cela ne m'attire plus. Mes voyages, il me semble que j'ai envie de les accomplir dans ma tête... J'ai des inventaires à faire, des souvenirs à revoir, à ranger...

Peut-être va-t-il penser qu'elle a pris cent ans ?

— Mais je pourrai t'accompagner, si tu pars ! Je...

C'est d'une voix changée qu'il lui répond.

— Oui, mon amour, je sais que tu peux tout faire avec moi. La preuve, je t'ai fait vivre des choses bien pénibles, depuis quelque temps, et c'est toi qui as fait en sorte que le lien ne soit pas rompu. Toi seule...

Elle respire. Il a dit « mon amour ».

— Mais tu m'as aidée, toi aussi ! Je te sentais là, même absent.

— Je n'ai pas quitté la maison en pensée.

— Elle t'attend, moi aussi.

— Je reviens.

— Cela ne va pas te gêner, pour ton travail ?

— Je serai mieux là-bas, les gens sont moins sceptiques. De toutes façons, je travaille par liaisons satellites. Peu importe où. Donne-moi trois jours.

Germain achève de creuser un trou important quand Mélanie le rejoint au jardin. Il y dépose le fuchsia et ses racines, tasse la terre.

— Pas d'engrais ?

— Il est traumatisé, rendez-vous compte, il ne faut pas le forcer. Dès qu'il aura pris ses aises, on pourra l'aider un peu. Pas avant.

— Et à quoi verrez-vous qu'il s'est adapté ?

Le vieil homme taille quelques tiges pour que la plante nouvellement transplantée n'ait point trop à nourrir, au début.

— A sa façon de se tenir et...

Il hésite. Mme Boyer va le prendre pour une vieille bête ! Parler des plantes de cette façon ! Tant pis, il y a si longtemps qu'il le pense, qu'il peut bien le dire à voix haute :

— A son sourire..., achève Germain, peinant un peu pour se relever, puis donnant tout le sien, de sourire, à Mélanie.

49

Aux premiers travaux dans la vieille maison, Mélanie s'inquiète : qu'en aurait dit Édouard ?

Puis elle se reprend : elle doit cesser de penser par référence au passé. Son père avait les idées et conceptions de son époque. Sa vision de la société dépendait d'une technologie qui s'est transformée. Aurait-il pu imaginer qu'un homme dans la force de l'âge, comme Georges, pouvait se retrouver au chômage et se remettre à travailler à domicile en gagnant plus d'argent ? Il y aurait vu comme une anomalie, or Georges parvient à convaincre Mélanie que le réseau dans lequel il a pris sa place représente celui de demain :

— La société devient différente, le travail aussi. Nous serons individuellement et collectivement reliés à la planète entière. Des satellites nouveaux sont régulièrement mis sur orbite. Des ordinateurs centraux fonctionnent nuit et jour sans que nous le sachions. Les appareils tel celui que j'ai là, de plus en plus réduits, portatifs, seront connectés aux banques de données mondiales. Dans la seconde, tu obtiendras les dernières statistiques, tous les renseignements qu'il te faut pour prendre une décision. L'ordinateur pourra même la prendre sans toi. Ce que le mien fait déjà...

— Comment ça ? dit-elle en lançant un regard en biais au petit « Mac » dont elle s'est aperçue, en effet, qu'il demeure allumé en permanence.

— Les transactions financières ne s'arrêtent jamais. Une Bourse ouvre quand une autre ferme, au gré des fuseaux horaires. Si l'on veut rester compétitif, il faut pouvoir être présent vingt-quatre heures sur vingt-quatre. « Mac » est programmé de telle sorte qu'il peut, la nuit, lancer seul des offres de vente et d'achat.

— Tu veux rire ?

— Je t'assure que non. C'est pour ça que je dors si bien. Dans tes bras..., ajoute-t-il en la serrant contre lui.

Mélanie se dégage.

— Et les pauvres ?

— Que veux-tu dire ?

— Ceux qui ne savent déjà ni lire, ni écrire, et qui, s'ils parviennent à vivre jusqu'à l'âge adulte, seront d'autant plus incapables de se servir d'un ordinateur. Que vont-ils devenir : des esclaves ?

— Possible. Mais les ordinateurs ne doivent pas servir à fabriquer des maîtres du monde.

— Comment imagines-tu de l'éviter ?

— Le pouvoir des médecins ne cesse de croître ; pourtant, personne ne le leur conteste.

Un chirurgien du cœur est maître absolu dans son bloc opératoire, il tient à chaque seconde la vie et la mort entre ses mains. Pour autant, il ne domine pas le monde. C'est le monde qui se sert de lui. Nous devons être comme les médecins : des spécialistes. Aux autres de nous utiliser. Mais à une condition : que la masse des hommes deviennent des moralistes...

— Tu ne penses pas que tu te berces d'illusions ?

— Je suis sûr qu'au fond d'eux-mêmes, les êtres ont avant tout besoin de bonheur, surtout les femmes.

— Même Yolande ?

— Yolande aussi. Mais, pour l'heure, elle ne le sait pas et elle a pris une drôle de route...

— Yolande n'a précisément qu'une idée : asservir autrui. Si, par malheur, elle en avait vraiment les moyens...

— Nous avons les moyens de l'en empêcher. Nous le faisons déjà.

— Oui, mais j'ai dû me battre sur tous les fronts, défendre choses et gens contre elle, et même la défendre contre elle-même... Quel travail !

— Malraux a dit : le XXIe siècle sera religieux ou ne sera pas. J'ajoute : l'humanité sera morale ou ne sera pas. On y arrive, cela peut aller très vite.

— Tu crois qu'on le verra ?

— Nous aurons commencé. Comme l'a fait naguère Lucie...

— Lucie ?

— Tu sais bien, la petite dame qu'on vient de retrouver et qui est ton ancêtre préhistorique ! La mienne aussi, d'ailleurs. A quel genre de monde rêvait-elle ? Au nôtre... Je suis sûre que Lucie a dû rêver de confort ménager sans même savoir que c'était possible ! Nous l'avons réalisé des millénaires plus tard ! Elle devait aspirer au rouge à lèvres, aux rinçages contre les cheveux blancs... Si Lucie vivait encore, tu l'emmènerais dans un supermarché et, en un rien de temps, on ne percevrait pas la différence entre vous deux...

— Georges, tu te moques de moi ! Lucie mesurait à peine plus d'un mètre et elle était prognathe...

— Détail. Ce qui compte, c'est ce qu'on a là !

Georges appuie l'index sur sa tempe. Mélanie se met à rire doucement, tendrement.

Ils sont assis sous la nouvelle tonnelle ; elle y a fait installer un banc de cette matière imputrescible qui imite si bien le bois, et une table elle aussi insensible aux intempéries. Bientôt, la tonnelle sera couverte de roses jaunes, Germain s'en est occupé.

Un tas de sable fin a été installé à un bout de jardin, entre quatre planches, pour que Gaston y joue. C'est le prénom du fils d'Hermine. Elle a demandé à le leur confier quelques semaines, cet été, pendant son voyage de noces avec Gérard. Ils se sont mariés un mois après la naissance de Gaston. Quelle cérémonie ! L'avenir et le passé s'y trouvaient au coude à coude...

50

Le jour du mariage d'Hermine, Yolande arbore une toque noire ornée d'une plume recourbée qui lui encadre le menton.

— Tu as vu ta sœur ? souffle Georges à Mélanie. Je sais maintenant quel est son rêve secret : les Folies Bergère ! Elle n'a pas dû assez lever la jambe dans son jeune temps !

— Sûrement pas ! pouffe Mélanie. Tu crois que c'est irrattrapable ?

— La preuve que non, réplique Georges en lui prenant la main. Quand est-ce qu'on se marie, nous deux ? J'aimerais voir sa tenue, pour ce jour-là...

— Tu sais ce que j'aime en toi ?

— C'est que je suis traditionaliste, comme l'était ton père.

— C'est que tu finis par réussir tout ce que tu décides...

— Moi ? Je me contente de suivre le courant...

— C'est moi, le courant ?

— Qui a dit que le problème, dans la vie, ce n'était pas de lutter contre les vagues, mais de les prendre dans le bon sens et de se laisser porter ?

— Florence Arthaud ?

— Un navigateur, en tout cas... La mer et la vie, c'est pareil : plus fort que nous. Il faut se laisser porter tout en gardant...

— Quoi ? Les pieds au sec ?

— Le cap.

Dans son homélie, le curé a parlé des devoirs mutuels des époux, d'autant plus nécessaires aujourd'hui que le rôle des hommes et des femmes continue d'être différent, qu'ils sont donc irremplaçables, tant auprès de l'enfant que l'un envers l'autre. Et comme l'union de ces deux êtres dissemblables ne pouvait qu'être hautement improbable, mystérieuse, il fallait rien de moins qu'un sacrement pour les conserver ensemble.

— C'est étrange, souffle Mélanie à Georges, je suis d'accord avec ce que dit cet homme !

— En quoi est-ce étrange ?

— Je croyais que le clergé radotait, que tout cela ne valait plus pour notre époque. Or, je m'aperçois que si.

— Le Christ l'a compris avant les autres : hors du développement de l'individu et de sa conscience, point de salut !

— Tu ne me tromperas plus ?

— Je n'en sais trop rien !

— Comment peux-tu dire ça, si tu tiens à être moral ? s'écrie Mélanie en retirant sa main.

Georges lui passe le bras sous le coude, la serre contre lui.

— Il reste une énigme : la sexualité. Je crois qu'il n'y a rien de plus divin... et de plus rétrograde au monde !

— Que faire, prendre du bromure comme on en administre aux obsédés sexuels ?

— Non, chérie : sublimer.

— Comment fait-on pour sublimer ?

— Comme nous le faisons en ce moment. On en parle, on imagine, on s'explique...

— Et on s'endort ?

— Et on finit par préférer le symbolique au réel !

— Je te rappellerai ça devant la première paire de fesses bien réelles qui attirera ton regard : « Voici un derrière symbolique ! Pas touche ! »

— Pour l'instant, j'ai faim ! J'espère que Yolande sait commander un buffet...

— Pour une fois, elle a accepté de desserrer les cordons de sa bourse et choisi la qualité plutôt que l'économie !

— Personne ne peut partout et tout le temps être imparfait !

Mélanie se plaît à se rappeler cette journée où une réelle harmonie a régné entre les femmes de la famille. Seul Gaston a semé le trouble en criant comme un perdu, la figure écarlate, parce que sa mère tardait à l'allaiter.

— Un vrai mâle ! s'est exclamé son jeune père, fier des cordes vocales de son rejeton et de la façon dont il s'imposait à l'assistance.

Violette, présente, lui a pris le braillard des bras en susurrant :

— Viens, mon poulot, ta maman est en retard, c'est vrai, mais elle arrive, tu vas pouvoir te satisfaire...

— Ça commence bien ! remarque Georges. C'est un seigneur et maître qu'on nous élève là !

— Les femmes aiment à se sacrifier, tu ne le sais pas ?

— A qui ?

— Aux hommes qui en valent la peine... Méritez-nous !

51

Avec le printemps, la maison aussi s'épanouit, telle une fleur qui déploie ses pétales. Les fenêtres s'ouvrent en grand sur l'air tiède ; les portes de la cuisine et de la véranda, donnant sur le jardin, ne sont plus refermées. Des meubles sortent et s'installent au-dehors pour l'été : fauteuils, chaises longues, table, parasol. C'est comme une confiance retrouvée après le long repli sur soi de l'hiver.

« Chaque nouvel été est différent, se dit Mélanie, installée tôt le matin à sa table de travail. On dirait que quelque chose avance au fil des années et qu'on ne reprend pas l'histoire là où on l'a laissée, mais toujours plus loin... »

Elle se rappelle le regard d'Édouard sur le jardin, quand il s'y rendait pour la première fois après le froid de l'hiver. A la fois étonné et dubitatif. Peut-être se disait-il : « Que les choses soient encore là m'étonne un peu, mais que j'y sois encore, moi, voilà qui tient du miracle ! Ça ne va pas pouvoir durer... »

En effet, cela avait cessé. Ce qui n'avait pas arrêté le printemps, lequel était revenu sans lui. Qui s'en attristait dans la nature ? Peut-être le vieux figuier qui paraissait ne pousser ses larges feuilles que pour ombrager le vieux monsieur qu'il connaissait depuis si long-temps ?

« D'où me vient cette mélancolie ? » se demande Mélanie. Georges reprend magnifi-quement pied. Son divorce d'avec Marie-Louise a abouti dans de bonnes conditions. Hermine semble heureuse entre ses « Gégés », comme elle dit — Gaston et Gérard —, et parle d'un nouvel enfant. Yolande serait-elle la seule à ne pas avoir changé en mieux ? Et elle, Méla-nie, s'améliore-t-elle ?

Elle quitte sa traduction et rejoint Violette à la cuisine. Georges, qui s'est levé cette nuit pour surveiller les activités de l'ordinateur — une poussée de fièvre dans la finance mon-diale —, dort encore.

Mélanie se reverse du café, tenu chaud par la cafetière électrique, dans une petite tasse de porcelaine à anse dorée qu'elle affectionne, puis s'assied à la table cirée.

Violette, qu'elle a déjà vue plus tôt dans la matinée, n'a rien dit, affairée comme la plu-part du temps devant son évier : dès qu'un ustensile a servi, il faut qu'elle le lave aussitôt, l'essuie soigneusement, le remette en place. « Comme si elle effaçait des traces au fur et à mesure, se dit Mélanie, afin que le monde soit toujours neuf. Malheureusement, il ne l'est pas... »

— Je me demande..., commence-t-elle.

Elle fait tourner sa tasse chaude dans sa paume, appréciant le contraste entre le blanc et or du récipient et le noir du breuvage. Elle continue :

— ... si le rosier planté sur la tombe de Papa a pris.

— Pourquoi qu'il aurait pas pris ? grommelle Violette.

— Parce qu'on n'est pas allés l'arroser.

— Je l'ai fait, moi, dit Violette, le dos toujours tourné.

— Quand ça ?

— L'après-midi, tiens. Le cimetière n'est pas loin, par les petites rues.

Violette aurait-elle la nostalgie du temps passé, elle aussi ?

— J'ai envie de faire dire une messe...

— C'est vous qui voyez...

— Je voudrais qu'il soit content.

— Pourquoi qu'il ne le serait pas ? Vous avez gardé la maison, vous vous en occupez bien...

— Violette, je ne m'y habituerai jamais !

— A quoi ?

— Les gens sont si forts, si présents — tu te souviens comme était Papa —, et puis, d'un seul coup, ils sont partis. Et les choses restent... Je crois que c'est à ça que je ne m'habitue pas : à ce que les choses durent, et pas les gens !

— C'est pour ça que vous vouliez vendre ?

— Peut-être.

Par vengeance contre ces objets qui survivent, imperturbés, semble-t-il, à leurs propriétaires ? La veille encore, elle a rangé des bibelots sans valeur du genre que l'on rapporte de voyages à Lourdes, au Pays basque... Témoins de l'activité des vivants, de leurs humbles et différents bonheurs. Ces babioles sont encore là. Mais où sont passés les humains ?

— A quoi sert-il de vivre, Violette, puisqu'on finit par tout perdre...

— Vous êtes bien philosophe, de si bon matin !

— Je voudrais un signe, rien qu'un signe...

D'un coup d'aile, une jeune oiseau pénètre par la porte ouverte, puis, affolé par la présence humaine, se cogne au plafond, aux murs, aux vitres.

— Le voilà, votre signe, dit Violette en ouvrant promptement la fenêtre pour que le minuscule rouge-gorge puisse s'échapper avant de s'être assommé. Vous en faites pas pour les morts, ils savent ce qu'ils font...

Mélanie ne peut s'empêcher de rire. Elle se lève, va embrasser Violette. Elle aussi sait ce qu'elle a à faire : continuer à tisser le fil de la vie, puisqu'elle en a momentanément la charge. Cela prend toutes les formes et consiste principalement à donner de l'amour. Mal, sans doute, au hasard, à l'aveugle...

Georges va descendre, il sera satisfait de trouver son thé prêt, avec des toasts, de la confiture d'orange. Ils ont projeté une promenade au bord de la mer afin de chercher une maison à louer pour cet été. Georges aura la garde de ses fils pendant un mois et veut qu'ils puissent se baigner, faire du bateau, du ski nautique, de la planche. La maison doit être assez grande pour y héberger Gaston, si besoin est.

Au moment où ils vont monter en voiture après avoir prévenu Violette qu'ils ne reviendront que pour le dîner, à l'heure où la lumière devient oblique, le téléphone sonne.

C'est lorsqu'ils ont commencé à rouler que Mélanie lâche le morceau :

— Tu sais qui nous aurons, cet été, avec Gaston ?

— Hermine.

— Yolande.

— Pas possible !

— Si, elle vient de me téléphoner en disant qu'elle partagera le prix de la location avec nous... Je lui ai répondu qu'on pouvait fort bien l'inviter, puisqu'on louait de toute façon la maison, mais elle a insisté... Je t'admire, Georges.

— Pourquoi, ma chérie ? demande Georges en posant la main sur son genou.

— Parce que tu n'as pas fait d'embardée !

— Ai-je dit que je passerai le mois d'août entre vous deux ?

Georges est taquin. Mélanie s'inquiète tout de même : « Tu ne vas pas me faire ça ! »

52

Ce n'est que deux ans plus tard que se déroulèrent les vacances tant redoutées en compagnie de Yolande.

Mélanie préféra attendre le règlement, long et difficultueux, de la succession d'Édouard. Yolande s'entêtait à réclamer de nouveaux inventaires — une action pourtant irrecevable, confirmaient les notaires — ou que Mélanie, sur sa propre part, lui donnât des meubles dont elle n'aurait su que faire ni où les mettre !

C'est endoctrinée par Hermine, qui s'était prise d'amour pour la vieille maison depuis la naissance de Gaston et souffrait à l'idée de la voir démanteler, que Yolande finit par accepter le partage tel que l'avait voulu Édouard. Le mobilier et son contenu, légués à Mélanie, resteraient en place. Quant à Yolande, elle aurait ce qu'elle appelait « rien » : l'argent et les actions.

Pour achever de la décider, Mélanie offrit de faire sur-le-champ donation de la maison à Hermine. Étant notifié dans l'acte que Georges et elle en auraient la jouissance jusqu'à la fin

de leurs jours, s'ils avaient le désir d'y demeurer.

En sortant de chez le notaire, Mélanie se
sentit soulagée : désormais, l'avenir de la maison était assuré, et même, avec un peu de
chance, sur plusieurs générations. Mais, pour
en arriver là, il lui avait fallu consentir des
sacrifices, renoncer à certains de ses droits,
comme celui de se sentir propriétaire : elle
n'était plus qu'usufruitière.

Cela ne change pas grand-chose au quotidien ni dans la façon d'occuper un lieu — on
est même déchargé, en théorie, de certains
frais de réparations —, il n'empêche : on ne se
sent plus autant « chez soi ». Quelqu'un vous
surveille, attend peut-être, dans son for intérieur, votre disparition pour pouvoir jouir plei-
nement de ce qui est légalement son bien !

Surtout, cet acte, qui relève en principe de
l'amour, vous dépossède de quelque chose
d'immatériel : le sentiment qu'on ne mourra
jamais. Jusque-là, l'illusion — on sait bien que
c'en est une ! — était réconfortante.

On s'en aperçoit dès qu'on l'a perdue : on se
retrouve alors confronté à la brièveté de sa
propre existence. On se vivait comme un sys-
tème à part entière, dont on était l'épicentre.
Or, d'un instant sur l'autre, sans raison appa-
rente (on n'est même pas malade !), on admet
— et signe —, par-devant notaire, qu'on n'est
qu'un maillon d'une chaîne. Celle des générations.

Ensuite, on peut avoir la conscience en paix

à l'idée qu'on a fait ce qu'on devait, qu'on s'est montré responsable, grand, généreux, n'empêche que la révélation est une souffrance.

« Est-ce la raison pour laquelle tant de gens refusent de faire leur testament ? songe Mélanie en poussant la porte de verre pour sortir de l'étude. Ils ne veulent pas se sentir morts d'avance ? »

Surtout quand on n'a pas d'enfant. Que reste-t-il si l'on ne peut même plus croire à la pérennité de sa propre vie ?

— Yolande a de la chance ! dit-elle en serrant le bras d'Hermine, venue l'accompagner pour la remercier du don qu'elle vient de lui faire. Peut-être aussi pour la soutenir, même si ce n'est pas exprimé ?

— Pourquoi dis-tu ça ?

— Elle a beau être odieuse, elle finit toujours par gagner ! Tu sais quoi ? Mine de rien, elle vient d'hériter de tout l'argent de Papa, et aussi à travers toi, de la maison ! En somme, elle obtient toute la succession, sa part et la mienne et, par-dessus le marché, elle t'a, toi !

— Tu crois que c'est un tel cadeau, de m'avoir pour fille ?

— Oui, Hermine, d'abord parce que tu es adorable, de bien meilleure qualité que tu ne le penses, et aussi parce qu'à travers toi, elle a une descendance. A partir du moment où il y a de nouveaux enfants, nés ou à naître, n'importe quoi peut arriver — et arrive ! On se retrouve en pleine aventure, dans la fantaisie, l'imprévu, le merveilleux, parfois aussi le drame... Tout ce qu'apportent les enfants, avec chacun leurs différences, leur génie propre !

— Je sais, dit Hermine en s'assombrissant. Depuis que je suis mère, je suis follement heureuse, comblée, et en même temps je tremble. Si je le perdais, mon fils bien-aimé ? Et s'il ne m'aimait plus en devenant grand ? Et s'il allait habiter dans un autre pays et qu'on ne se revoie plus jamais, que je vieillisse seule...

— ... comme moi !

— Tu n'es pas du tout seule ! Tu as Georges...

— Lui aussi a ses enfants. Ses fils comptent de plus en plus...

— Eh bien, tu m'as, moi ! Et Gaston !

— Oui, Hermine, je te remercie de me l'assurer, mais je passe en second. Ta mère vient d'abord, c'est normal.

— Tu ne veux pas le prendre, l'été prochain ?

— Qui ?

— Gaston, j'ai besoin de repos. Il a deux ans et c'est une bombe atomique...

— Avec joie. Mais...

— Quoi ?

— Je ne peux pas faire cela sans proposer à Yolande de nous accompagner. Sinon, tu la connais, elle en fera une jaunisse. Elle nous cassera la baraque !

— Que va dire Georges ?

— Je vais peut-être t'étonner, mais il est moins réticent que moi vis-à-vis de ta mère ! Il faut dire que Yolande le ménage...

— Maman dit pis que pendre des hommes

quand ils ne sont pas là, et, en leur présence, elle roucoule...

— Là, tu exagères !

— Disons qu'elle leur fait bonne figure. Comme si...

— ... ils lui faisaient peur ?

— Je crois, oui.

— Eh bien, on va voir ! Maintenant qu'on est *nickel*, question succession, plus de discussions en vue !

C'est le bon côté des notaires : ils parviennent serait-ce lentement, à régler bien ou mal les affaires humaines. « Qu'ils en soient remerciés, se dit Mélanie, ils sont les seuls représentants de la société à réussir cet exploit : concilier les extrêmes ! »

L'été aussi est la saison des extrêmes : selon les jours, les années, il peut se montrer divin ou meurtrier.

Cet été-là, qui s'annonçait chaotique, finit, la chaleur aidant, par plonger son monde dans la torpeur.

Naturellement, après avoir accepté sur-le-champ l'invitation — « C'est bien pour vous rendre service... » —, Yolande commence par tout critiquer dans la maison louée par les soins de sa sœur. Le jardin est trop grand — qu'aurait-elle dit s'il avait été petit ? Comme il donne sur la mer, l'humidité, d'après elle, est constante, pénétrant jusque dans les armoires. Et s'il avait fallu prendre la voiture pour aller se baigner, Mélanie imagine ses remontrances !

Surtout, il y a deux habitations. Mélanie a laissé le corps principal du logis, avec la grande chambre, la salle de bains, à Yolande et aux enfants, pour s'enfermer avec Georges dans le petit pavillon du fond où tous deux peuvent travailler dans le silence. Sans télévision, sans téléphone.

C'est ce dernier détail qui exaspère Yolande :

— Quand c'est pour vous, j'ai beau crier, vous n'entendez pas !

— Envoie l'un des enfants nous prévenir !

— S'ils sont là... De toute façon, ça dure un temps infini avant que l'un d'eux ne daigne se déplacer. Violette est dans sa cuisine à jouer les sourdes. Finalement, c'est à moi qu'il revient de faire le petit télégraphiste !

— Cela te va très bien, Yolande, je vais t'acheter une casquette !

Volontiers sarcastique vis-à-vis d'autrui, Yolande n'apprécie guère l'humour à son encontre, et Mélanie rengaine ses plaisanteries. Sur les conseils avisés de Georges, elle achète un téléphone sans fil : le problème est résolu.

Celui-là, du moins. Yolande a le génie de découvrir des « loups » dans toute organisation. Comme de tomber, dans une grande surface, sur des yaourts périmés. Ou sur le paquet d'oranges sous plastique dont deux sont bleues.

— Elle le fait exprès, ou quoi ? demande Mélanie à Georges. Moi, je ne m'aperçois pas des détails qui clochent, ce qui est peut-être un tort. Ou alors je m'en fiche !

— Toi, tu aimes le bonheur et c'est pour ça que je t'aime, répond Georges en l'enlaçant.

— Mais Yolande aussi aime le bonheur ! Je me rappelle, quand elle était petite...

— Quand finiras-tu de parler de ta sœur ?

— Elle me fascine.

— Au fond, c'est ta face noire, ton ombre, ton double...

— Georges, j'aimerais tant qu'elle se trouve quelqu'un ! De bien, si possible...

— Il faudrait qu'elle le veuille, et commence par cesser de ronchonner. Tu as vu la ride qu'elle se paie entre les yeux ?

— Justement.

— Quoi ?

— Tu n'as pas remarqué qu'elle s'atténue ?

— Tu m'étonnes !

Pourtant, c'est vrai. Quand Georges et Mélanie, après leur bain de mer, remontent vers la maison pour le déjeuner, Yolande, étendue en maillot noir et blanc sur une chaise longue, prend le soleil.

Mélanie donne un coup de coude à Georges qui, après examen, lui répond : « Ma parole, tu as raison ! »

Le visage de Yolande, s'il est quelque peu marqué aux coins des lèvres et des paupières, n'arbore plus ses crispations habituelles, il a recouvré sa calme beauté de jeune fille. Une parole invraisemblable sort de sa bouche :

— Ce qu'on est bien !

— Si on se prenait un petit apéritif ? dit Georges, non coutumier du fait, mais qui a besoin de marquer le coup.

— J'ai préparé de la sangria, lance Yolande, elle est dans le Frigidaire.

— Je vais la chercher, propose Mélanie.

Dans la cuisine, Violette installe sur un plat creux des œufs mimosas entourés de tomates et de persil. Elle aussi semble détendue.

— Cela se passe bien, avec Yolande ? s'enquiert Mélanie.

— Madame Vendorme a ses qualités, répond Violette avec hauteur.

A croire que Mélanie cherchait à la faire déblatérer sur sa sœur !

— Je suis heureuse de savoir que vous vous entendez bien, Violette. De là où nous sommes, nous ne nous rendons compte de rien, Georges et moi. Les enfants ne font pas trop de bruit ?

— On ne les voit guère, toujours à leur club nautique. Il paraît qu'ils progressent en nage, que c'est pas vrai. Quant au bout de chou, j'ai pas à me plaindre : un petit cœur qui pleure jamais. Ça me fera mal d'avoir à le rendre...

Il est vrai que Gaston, séducteur par tempérament, a mis dans sa poche toutes les femmes de la maison : grand-mère, grand-tante, Violette.

« Papa l'aurait adoré, songe Mélanie en apportant le plateau avec la sangria et les verres. Pour une fois, il aurait trouvé que les femmes servent à quelque chose... »

Arrivée sur la terrasse où Yolande bavarde tranquillement avec Georges, Mélanie leur lance :

— Vous savez à quoi servent les femmes ?

— A faire la cuisine ! assène Yolande.

— Mieux que ça : à mettre les hommes au monde ! Tu nous vois sans Georges et Gaston ? Que ferions-nous ?

Yolande sourit pensivement :

— Tu sais que ça ne m'était pas venu à l'idée !

— Tu peux pourtant te féliciter : c'est grâce à toi ! Sans toi, pas de Gaston !

— Impensable ! dit Yolande en enfouissant sa bouche dans les cheveux bouclés du petit homme qui vient d'accourir et s'est jeté contre elle.

— Mammy !

— Mon trésor...

— On va aller voir les singes !

— Quels singes ? interroge Mélanie.

— Ceux de la Palmyre, précise Yolande. Nous nous sommes fait des amis parmi eux. Et puis, il y a Calami, une petite girafe née l'hiver dernier !

— Elle a des cornes comme mon doigt, et une grosse langue, lance Gaston. Et une robe comme Mammy !

— C'est ma robe imprimée panthère qui lui fait dire ça, dit Yolande. Cet enfant est un poète !

— Hermine vient quand ?

— Tout à fait à la fin du mois. Elle se repose...

— Hermine attend un autre enfant, dit Georges en versant la sangria. Yolande vient de me l'apprendre. Buvons à lui !

Il tend à chacune un verre rempli d'un liquide rouge à l'odeur d'orange et de cannelle.

— C'est bon ! dit Mélanie. Merci, Yolande.

— Je peux goûter ? demande Gaston.

— Violette t'a préparé ton jus d'orange. C'est meilleur.

— Tiens, mon poulot, dit Violette qui arrive de la cuisine, le verre à la main. Où vous voulez manger : dehors, dedans ?

— Si vous en êtes d'accord, contre le mur de la terrasse, fait Mélanie. Il y a juste un coin à l'ombre d'où l'on voit la mer.

— Je ne me lasse pas de la contempler, dit Yolande. Tu as bien fait, Mélanie, de louer une maison donnant sur la mer.

Georges et Mélanie se lancent un regard. Est-il possible que Yolande ait changé à ce point ? Ou n'est-ce qu'un mirage dû à la chaleur ?

53

Ce sont les enfants qui ont insisté pour qu'ait lieu le mariage.

D'abord les fils de Georges, Thomas et Simon. Puis Hermine s'est mise de la partie. Jusqu'à bébé Gaston, gagné par l'excitation générale, qui zozotait d'une voix perçante : « Marions-nous ! Marions-nous ! Gai ! Gai ! »

Les arguments des fils de Georges étaient plus raisonnés :

— On n'a encore jamais vu de mariage dans la famille, Papa ! J'étais pas là quand tu as épousé Maman !

— C'est ce qu'il faut ! dit Georges. Les parents se font d'abord, les enfants ensuite...

— Ben nous, on a des copains qui ont assisté au mariage de leurs parents. Ils se sont tapé la cloche, et même du champagne à gogo. Il paraît que c'était géant !

— Si c'est pour boire un coup, on peut vous arranger ça exceptionnellement pour la Saint-Sylvestre...

— Mais y a pas que ça, Papa ! Ils ont dit que tout le monde était joyeux, que c'était une fiesta terrible !

— Moi aussi, j'aimerais bien faire la fête, a surenchéri Hermine. Pourquoi tu ne te maries pas tante Mélanie ?

— Tu as l'air d'oublier que Georges et moi sommes tous les deux divorcés, avec des ex-conjoints toujours vivants ! Si nous devions nous marier ce serait uniquement à la mairie !

— Alors ce serait mieux si c'était Maman, elle est veuve, elle peut se marier religieusement ! On fera tout en même temps : le mariage de Maman, les deux baptêmes — petit Gaston a été seulement ondoyé. Comme ça, il n'y aura qu'une seule fête, mais alors grandiose ! L'église résonnera de fond en comble ! On ira à la cathédrale ! Gaston portera la traîne de Maman...

— Hermine, tu divagues ! On ne va pas à une cérémonie religieuse comme à un show ! En plus, ta mère n'est pas du tout en humeur de mariage...

— Alors fais-le toi, s'il te plaît ! Avec Georges ! Fais-nous plaisir ! Tant pis, on se passera de l'église, on aura même plus de temps pour faire la fête...

— Ce que vous êtes casse-pieds !

Ce n'était là qu'une escarmouche ; les assauts se succédèrent, de plus en plus rapprochés.

— Qu'est-ce qu'ils ont ? demanda Mélanie à Georges, un soir où ils se retrouvèrent seuls dans la maison, assis devant la vieille cheminée de pierre qui venait de reprendre du service.

Mélanie avait fait curer le conduit, élargir le foyer, aménager des coffres à bois. Le feu, c'est le plaisir des fins de journée, et pas seulement l'hiver : au printemps, en automne, les soirées sont fraîches. Il y a même des jours, en été, où l'on apprécie une brève flambée.

En fait, l'âtre était devenu le point de rassemblement où l'on cause.

— Comme chez les hommes préhistoriques, remarque Georges. Plus on devient modernes, plus on régresse !

— Sauf que je mettrai jamais de peaux de bêtes ! s'exclama Thomas. J'aime trop les animaux pour leur arracher leur fourrure.

— Tu manges bien leur viande !

— Je préfère les glaces, les yaourts, les frites et aussi le fromage ! La viande, c'est pour faire plaisir à Maman. Le poisson, c'est pas mal. Mais pas la baleine ; la baleine, c'est de la viande. Tu sais qu'il y en a qui en mangent au Japon ?

— Vous ferez comme vous voudrez, dit Georges, moi je reste fidèle au bifteck.

— Et à Mélanie !

— Je trouve l'association déplacée !

— Excuse-moi, Papa, je voulais dire que puisque Mélanie et toi vous vous entendez bien, ce serait mieux si...

— Si quoi ?

— Je sais pas, moi... Si vous portiez le même nom !

— Il y a des gens mariés qui gardent chacun leur nom, je te signale.

— Ah, répliqua Thomas, alors ils sont bêtes !
Moi, j'aime bien savoir que les gens sont
mariés, c'est plus facile à écrire sur l'enve-
loppe : Monsieur et Madame même adresse...

— Si le mariage de tes proches n'a pour but
que de te faciliter la vie...

— C'est déjà ça ! intervint Mélanie, voyant
Thomas à bout d'arguments et au bord des
larmes.

Le mariage n'étant plus ce qu'il était, il est
vrai qu'il devient plus difficile à défendre. Surtout pour des enfants de divorcés...

La discussion en resta là. On parla d'autre
chose.

Les petites vacances terminées, les enfants
repartirent. Mélanie et Georges reprirent leur
tête à tête.

— Plus ça va, murmura Mélanie, contem-
plant le feu qui pétillait, moins je comprends
ce que les enfants cherchent dans le mariage !
Je veux dire le nôtre...

— Exactement ce qui est devant toi ! répondit Georges en prenant le tisonnier et en
remuant les bûches.

— Que veux-tu dire ?

— Un foyer.

— Ils n'en ont pas ? Ils en ont même deux !
Chez nous, tes enfants sont chez eux autant
qu'Hermine et Gaston, et ils le savent.

— Oui, mais ils ont peur.

— De quoi ?

— Que tu sois saisie par le démon de midi...
Ou moi !... C'est de notre âge, non, la folie des
sens ?

— Et ils s'imaginent qu'un contrat de mariage y changera quelque chose ?

— C'est comme une promesse...

— Les promesses, quand il s'agit d'amour...

— Une promesse que nous leur faisons, à eux : « Ne vous en faites pas, les enfants, on est ensemble pour jusqu'au bout de la route, vous nous retrouverez toujours ici, quand vous en aurez besoin, la main dans la main, à vous attendre... » Vrai, pas vrai, ils ont besoin d'y croire, tandis qu'ils grandissent dans un monde où l'insécurité générale est si angoissante pour des jeunes. Les jeunes, au début de leur vie, sont conservateurs. Du moins pour les autres...

Mélanie a écarté son fauteuil de la cheminée et replié ses jambes sous le siège : elle était en train de rôtir.

— C'est bien ce qui me déplaît...

— De terminer la route avec moi ?

— Oh, Georges, c'est mon vœu le plus cher !

Elle se lève, passe derrière son siège, met ses bras autour de son cou, pose sa joue contre la sienne.

— Seulement, je ne veux pas que cela soit une obligation, tu comprends, ni pour toi, ni pour moi ! Je veux que nous soyons libres... Toi comme moi !

— Bêtasse...

— Merci bien !

— Personne n'est libre, tu le sais parfaitement. On est tous déterminés et contraints par un million de choses, à commencer par nos gènes, par l'espérance de vie que nous ont léguée nos ancêtres. La tienne, de toute façon, est meilleure que la mienne, puisque tu es une femme ! Je n'y peux rien, toi non plus : tu feras une veuve charmante...

— Georges, ne dis pas ça... C'est difficile à t'expliquer, mais j'ai l'impression que si on se marie, c'est comme si l'on renonçait... Comme si on n'était plus nous-mêmes, qu'on n'avait plus le choix... On s'accroche un numéro matricule autour du cou et hop, il n'y a plus qu'à suivre les rails, jusqu'au butoir.

— Si tu vois les choses comme ça...

Georges a détaché les bras de Mélanie de son cou, il se lève, arpente la pièce. Ils n'ont pas allumé de lampes, le feu suffit comme éclairage dans l'obscurité qui tombe peu à peu.

— Je trouve ça beau moi...

— La venue de la nuit ?

— Le fait qu'elle va descendre sur toi comme sur moi... Alors que nous nous connaissons à peine... Tant de choses que l'on ne s'est pas dites, même chacun pour soi... Tant de choses qui restent à formuler...

— C'est vrai, oui.

— Je suis comme les enfants : ce *oui* que tu viens de me dire, j'aimerais l'entendre publiquement. Un *oui* officiel : oui, tu veux bien continuer à parler avec moi jusqu'à ce que la nuit nous ensevelisse ; oui, tu veux bien qu'on n'ait qu'une seule tombe, un seul nom, qu'on ne soit qu'une seule ombre enlacée dans le souvenir de ceux qui vont nous survivre.

— Je ne te savais pas à ce point romantique, toi, le financier de choc !

— Tu vois bien que tu ne me connais pas ! Il serait peut-être temps...

— Tu crois que je te connaîtrai mieux après le mariage ?

— Il est une grâce d'état pour les époux : leurs âmes s'interpénètrent...

— Je ne l'ai pas sentie avec mon mari, ta grâce !

— Une seule petite expérience et Madame est découragée ? Tu n'étais peut-être pas assez concentrée...

— Tu m'agaces !

— Alors, c'est oui ?

— Bon, d'accord, c'est oui.

— J'en connais un qui va être content !

— Qui ?

— Moi.

54

Heureux d'unir des personnalités nouvellement installées dans sa commune, le maire,
M. Rambert, a préparé un discours cursif,
amusant, laissant cependant entendre qu'un
mariage, même si l'on y danse et si l'on y rit, ne
saurait être pris à la légère.

Au cours du laïus, Georges tourne plusieurs
fois le regard vers Mélanie qui, bien qu'elle s'en
aperçoive, ne bronche pas. Elle est en train de
se dire que si elle s'unit à cet homme, c'est
surtout vis-à-vis d'elle-même qu'elle prend un
engagement. Et aussi envers les enfants.

Pour l'avoir déjà vécu, elle sait, que, pour
elle, le mariage ne représente pas quelque
chose auquel il serait immoral ou impossible
de se soustraire. Mais avec le temps, elle a
appris que donner l'exemple d'une fidélité
choisie fait du bien aux jeunes.

Détermination un peu hypocrite, en
l'occurrence, car l'idée de rester avec Georges
jusqu'à la fin ne lui coûte pas.

« C'est comme si j'avais épuisé mes besoins
d'aventures amoureuses, se dit-elle, j'en
cherche une autre, plus vaste ! »

La veille, Georges et elle sont sortis dans le jardin pour s'asseoir sur le petit banc de bois qu'affectionnait Édouard. Ensemble, ils ont regardé les étoiles jusqu'à les voir se déplacer.

— Je n'arrive pas à y croire, a fini par lâcher Mélanie.

— A quoi, ma chérie : à notre mariage ?

— Au cosmos... Tu crois vraiment qu'il existe ?

— Cela m'en a tout l'air.

— Je veux dire : que notre minuscule planète, nos infimes personnes, toi et moi, sommes entourés, cernés par cette immensité ?

— C'est vertigineux, je te l'accorde.

— Crois-tu qu'on nous contemple de là-haut, qu'on nous y attend ?

— Je ne sais pas.

— Je n'arrive pas à croire à la séparation de ceux qui s'aiment...

— Alors, n'y crois pas.

— Je ne te quitterai jamais.

— Moi non plus. A nos âges, cela n'en vaut plus la peine...

— Georges, tu te moques de moi !

— Que faire d'autre, avec le ciel étoilé au-dessus de nos têtes...

— ... et la loi morale dans nos cœurs. C'est de Kant ?

— C'est de tous les temps.

Refusant le parme, le rose, le gris que lui proposait la couturière, Mélanie s'est choisi un ensemble vert pâle :

— Je ne veux pas faire vieille dame !

— Vous ne le ferez jamais, madame Boyer !

— Un rien d'inattention et l'on se dit devant le miroir : « Qui donc est cette vieille dame qui ressemble tant à ma grand-mère ? »

Georges s'est refusé à la conseiller :

— Tu seras parfaite, comme d'habitude, c'est Yolande que j'attends !

— Merci pour moi !

— Tu sais bien ce que je veux dire : je m'y prépare pour éviter le fou rire !

Grosse déception : Yolande est arrivée dans une toilette de crêpe orangé, jupe finement plissée, corsage drapé, collier de perles, capeline de paille claire, parfaite.

— Ça alors ! a soufflé Georges à Mélanie. Si Yolande ne cherche plus à provoquer, c'est qu'elle doit être malade !

— C'est seulement qu'elle n'est plus jalouse, Georges, et j'en suis bien heureuse.

— Pourquoi penses-tu ça ?

— C'était pour attirer l'attention sur elle qu'elle s'habillait avec des rayures violettes et des mini-jupes stretch. Aujourd'hui, elle est apaisée, elle peut profiter de notre réunion de famille. Tu sais qu'elle m'a fait un cadeau splendide !

— Tu m'étonnes !

— Mais si, regarde : le bracelet de diamants de Maman qu'elle prétendait perdu et qu'elle avait dissimulé ! Je vais le porter aujourd'hui, je le donnerai ensuite à Hermine.

— Méfie-toi, je ne t'offrirai rien de ce genre !

— J'ai envie de choses beaucoup plus chères, et là, tu paieras.

— Tu me fais peur ! Quoi ?

— Transformer la maison pour que chacun y ait ses aises : des salles de bains neuves, du silence... On entend tout d'un étage à l'autre, avec ce parquet en papier à cigarettes.

— Promis ! Une partie de mes gains sera pour la maison. Je réserve l'autre à l'éducation de Simon et Michel.

Le matin de leur mariage, Mélanie s'est réveillée extrêmement tôt. Georges et elle font souvent lit à part pour mieux dormir — et mieux se retrouver. Ce qui fait qu'elle glisse dans la maison, pieds nus, sans être entendue.

Tout à coup, il lui a semblé que trop d'objets encombraient les tables, elles aussi trop nombreuses. Silencieusement, elle a entrepris d'ôter le surplus de vases, de cendriers, de statuettes, et même de photos encadrées, pour les ranger dans la grande armoire de l'entrée.

Puis elle a monté au grenier un paravent, trois tables d'appoint, une chauffeuse, deux appuie-pieds, un lampadaire. Tout de suite, la maison a paru plus grande : on y circulait mieux.

Quand Violette est descendue à son tour, elle l'a remarqué aussitôt :

— Vous avez préparé la maison pour la réception !

— J'ai l'intention de la laisser comme ça...

— Mais vos objets ?

— Tu ne trouves pas qu'il y en avait trop ?
Papa les avait accumulés, vu son grand âge :
on ne vit pas si vieux sans garder des souvenirs
de toutes les époques. Je vais te dire : ils me
faisaient plus de peine que de bien en me rappelant sans arrêt le temps où il était vivant, le
soin qu'il en prenait, la petite anecdote qu'il
m'avait contée sur chacun. C'était sa vie qui
restait perpétuellement exposée sous mes
yeux, intouchable, comme dans un musée.
Maintenant, il s'agit de la mienne...

— Après tout, c'est chez vous, j'aurai moins
de poussière à faire.

Quant à Yolande, arrivée par le train du
matin, fidèle à son obsession de la saleté, elle
s'est contentée d'observer que c'était « plus
propre ». Les autres n'ont émis aucune
remarque. Georges non plus : du moment
qu'on ne touche pas à son bureau où règne
l'apparent désordre qu'engendre tout travail
informatique, rien du décor où il vit ne
l'atteint.

Hermine est arrivée au bras de Gérard,
ravissante dans une robe imprimée de roses et
de lilas stylisés, une veste-manteau dans le
même tissu voltigeant autour de ses rondeurs.
Gaston, Simon, Michel, considérant qu'il
s'agissait de « leur » mariage, se sont mis à
faire les fous. Personne, ils le savaient, ne leur
adresserait la moindre remarque un jour
pareil.

Après la cérémonie à la mairie, le déjeuner a

lieu dans un ancien moulin transformé en restaurant, d'où l'on peut contempler la rivière et voir tourner les grandes roues remises en état pour le plaisir des convives.

Le parking étant en hauteur, il faut suivre à pied un petit sentier jusqu'au moulin isolé dans son cadre champêtre. Par les fenêtres à petits carreaux, on ne voit que des arbres, de l'eau, les fleurs du rosier grimpant qui envahit la façade.

— Tout est beau aujourd'hui, dit Mélanie qui tient la main de Georges sur la table.

— Et tout est bon, ajoute Georges. J'adore ce menu : coquillages, poisson, petites purées de légumes, plein de fromages...

— ... et un immense gâteau aux profiteroles au chocolat, tu vas voir !

— Au fond, le bonheur, c'est facile, dit Georges, il suffit...

— ... d'un gâteau au chocolat ?

— De regarder dans la même direction.

— Laquelle ?

— L'avenir.

— Pourtant, nous n'y serons plus...

— Mais si, grosse bête, à travers les enfants ! Ton père n'est-il pas toujours là ?

Assise à côté du maire, Yolande paraît très animée. Au fromage, elle se lève pour venir vers le nouveau couple de mariés et se penche entre eux deux pour leur souffler :

— Monsieur Rambert me dit qu'il y a une maison en bon état à acheter en pleine campagne, avec un verger et un jardin entourés de vieux murs. Qu'en pensez-vous ?

— Il faut voir, dit Mélanie. Ce serait pour qui ?

— Pour nous, bien sûr. Comme ça, nous aurions une maison à la campagne pour les beaux jours...

— J'aime quand tu dis *nous*, murmure Mélanie en posant la main sur le bras de sa sœur.

D'un geste réflexe, Yolande fait tourner le bracelet de diamants autour du poignet de Mélanie. Bien sûr, elle le lui a donné, mais le revoir sur sa sœur lui fait quelque chose ! Elle le trouve encore plus beau...

— C'est en pensant aux enfants, explique Yolande ; ils se multiplient à vue d'œil !

Elle lance un regard à Hermine.

— Tu as vu comme elle est grosse. Pourvu que ce soit...

Yolande semble hésiter.

« Si elle dit : pourvu que ce soit une fille, je l'étrangle ! s'indigne Mélanie. Assez de féminisme ! »

— Pourvu que ce soit des jumeaux ! achève posément Yolande. Comme ça, il y en aura un pour toi !

Mélanie et Georges échangent un regard. Yolande a fait des progrès, elle devient plus généreuse envers sa sœur. Reste qu'elle n'a pas encore admis que les enfants n'appartiennent pas aux parents, mais à eux-mêmes. Pour qu'elle y parvienne, encore faudrait-il qu'elle dispose d'un peu de bonheur personnel.

— Vous m'abandonnez, madame Vendorme ! lance le maire qui s'est levé, serviette à la main, pour les rejoindre. Juste au moment où l'on va boire le champagne ! Allez, revenez-moi !

Il prend Yolande sous le bras pour la reconduire à sa place à côté de lui.

Un bel homme. Chaleureux...

— Est-il marié ? chuchote Georges à Mélanie.

— Je crois qu'il est veuf.

— C'est mieux encore qu'un divorcé, tu ne trouves pas ?

Mélanie se met à rire :

— C'est toi que j'aime !

Impression réalisée sur CAMERON par
BRODARD ET TAUPIN
La Flèche

pour le compte des Éditions Fayard
en février 1994

Imprimé en France
Dépôt légal : mars 1994
N° d'édition : 8762 – N° d'impression : 6971 I-5

ISBN : 2-213-59215-2
35-33-9215-01/1